Claudette **Gagné**
Guylène **Belley**
Grégoire **Picard**
Ghyslain **Samson**

EXPÉDITIONS AU CŒUR DE LA SCIENCE ET DE LA TECHNOLOGIE

PRIMAIRE

Troisième cycle

Livre C

AVENTURE

Collection
sous la direction de
Régent Bouchard

Aventure
Primaire, 3e cycle
Livre C

auteurs
Claudette Gagné, Guylène Belley, Ghyslain Samson

conseiller technique
Grégoire Picard

Collection sous la direction de
Régent Bouchard

révision scientifique
Adéline Lavigne, Rodolphe Toussaint

révision linguistique
Geneviève Lemoine

conception graphique
LIDEC inc.

illustrations
Jacques Goldstyn, Jean Leclerc, Pierre Massé, Marie-France Morin

illustration de la page couverture
LIDEC inc.

Dépôt légal
Bibliothèque nationale du Québec, 2002
Bibliothèque nationale du Canada, 2002

ISBN 2-7608-8055-9
Imprimé au Canada

Nous reconnaissons l'aide financière du gouvernement du Canada par l'entremise du Programme d'Aide au Développement de l'Industrie de l'Édition (PADIÉ) pour nos activités d'édition.

Canadä

«Gouvernement du Québec – Programme de crédit d'impôt pour l'édition de livres – Gestion SODEC»

LE «PHOTOCOPILLAGE» TUE LE LIVRE

4350, avenue de l'Hôtel-de-Ville
Montréal (Québec) H2W 2H5
Téléphone: (514) 843-5991
Télécopieur: (514) 843-5252
Adresse Internet: http://www.lidec.qc.ca
Courriel: lidec@lidec.qc.ca

Remerciements

Nous tenons à remercier les personnes qui ont contribué d'une façon ou d'une autre à l'élaboration de cet ouvrage et, d'une façon toute particulière :

Chantal Robitaille, enseignante, École Notre-Dame, Mont-Carmel, C.S. de l'Énergie, et ses élèves ;

Chantal Thiffault, enseignante, École Antoine-Hallé, Grand-Mère, C.S. de l'Énergie ;

Nicole Robitaille, enseignante, École Sacré-Cœur, Princeville, C.S. des Bois-Francs ;

Lise Meunier et Anne-Marie Lavigne, enseignantes, Martin Malo et Guy Lauzé, enseignants, École Marie-Favery, C.S. de Montréal ;

Julie St-Pierre, enseignante, École Fernand-Seguin, C.S. de Montréal ;

Stéphanie Leclerc, enseignante, École Saint-Gilles, Laval, C.S. de Laval ;

Suzanne Boudreault, enseignante, École le Bois-Joli, C.S. de la Région-de-Sherbrooke ;

Michel Lemieux, enseignant, École Soleil-Levant, C.S. de la Région-de-Sherbrooke ;

Sandra Thériault, enseignante, École Notre-Dame-des-Victoires, C.S. de Montréal ;

Hélène Bélanger, enseignante, École des Grandes-Marées, C.S. des Découvreurs ;

Marie-Ange Grondin, enseignante, École Saint-Georges, C.S. de l'Énergie ;

Les élèves Nahéma Lacoursière, Marie-Pierre Morin, Vanessa Boulé, Audrey Corriveau-Hétu, Jessica Béliveau, Sabrina Moreau, Alexandre Lang, Maxime Dupont, Simon Raiche ;

Bernard Lepage, directeur de l'information, *L'Hebdo du Saint-Maurice* ;

René Trudel, ministère des Ressources naturelles du Québec ;

L'Insectarium de Montréal ;

Environnement Canada.

Avant-propos

Bienvenue dans l'aventure fascinante de la science et de la technologie !

Aimes-tu la nature ?
Tu vas explorer le monde qui t'entoure.
Tu vas expérimenter.

Ta curiosité t'amène-t-elle à te poser plein de questions ?
Tu vas échanger tes idées avec tes camarades.
Tu vas apprendre tout en t'amusant.

Poly,
un drôle de petit personnage, t'accompagnera
tout au long de ton aventure en science
et en technologie.

Bonnes découvertes !

Le directeur
de la collection Aventure,
Régent Bouchard

Table des matières

Introduction

Thème 1 Chez moi, sur la Terre

Thème 3 Profession — ingénieur, ingénieure

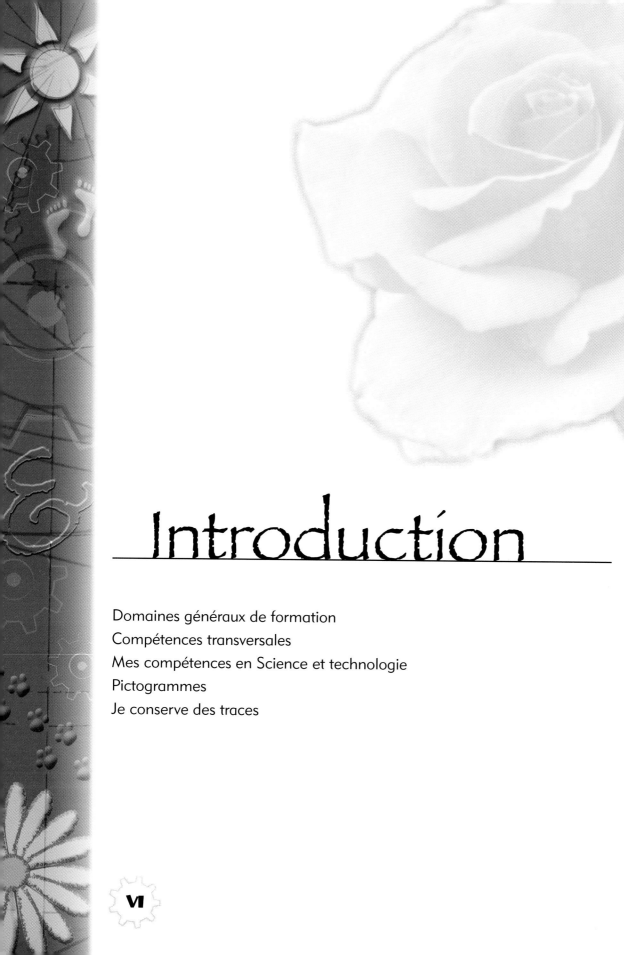

Introduction

Domaines généraux de formation

 Santé et
bien-être

 Orientation et
entrepreneuriat

 Environnement et
consommation

 Vivre-ensemble
et citoyenneté

 Médias

Compétences transversales

Résolution
de problèmes

Information

Pensée critique

Jugement critique

Technologies
de l'information et
de la communication

Méthodes de travail

Coopération

Identité

Communication

Mes compétences en Science et technologie

Compétence 1

Proposer des explications ou des solutions à des problèmes d'ordre scientifique ou technologique.

Compétence 2

Mettre à profit les outils, objets et procédés de la science et de la technologie.

Compétence 3

Communiquer à l'aide des langages utilisés en science et en technologie.

Compétence 1

Proposer des explications ou des solutions à
des problèmes d'ordre scientifique ou technologique.

Composante 1 — J'identifie un problème.

Composante 2

Je recours à des
stratégies d'exploration.

Composante 3

J'évalue ma démarche.

Si les résultats ne sont pas satisfaisants,
je reviens à l'étape 2.

Compétence 2

Mettre à profit les outils, objets et procédés de la science et de la technologie.

Composante 1

Je m'approprie les rôles et fonctions des outils, techniques, instruments et procédés de la science et de la technologie.

Composante 2

Je relie divers outils, objets ou procédés technologiques à leurs contextes et à leurs usages.

Composante 3

J'évalue l'impact de divers outils, instruments ou procédés.

VROAARRRRR...

Compétence **3**

Communiquer à l'aide des langages utilisés en science et en technologie.

Composante 1

Je m'approprie des éléments du langage courant liés à la science et à la technologie.

– Suis-je un corps en chute libre?

Composante 2

J'utilise des éléments du langage courant et du langage symbolique liés à la science et à la technologie.

80 km/h

100 km/h

Composante 3

J'exploite les langages courant et symbolique.

Je suis passé de 100 km/h à 0 km/h en une fraction de seconde... OUCH !

Pictogrammes

Activité individuelle

En équipe de deux

 En équipe de quatre

En grand groupe

 Stratégie d'apprentissage

Va voir à la page 134.

Civisme

 Temps d'arrêt

Sécurité

 Évaluation par les pairs

Autoévaluation

Évaluation par l'enseignante ou l'enseignant

 Collaboration des parents

Je conserve des traces

Des traces de mes activités

Comment prévois-tu conserver les données recueillies et les souvenirs accumulés lors de tes aventures en science et en technologie?

Les scientifiques ont souvent avec eux un cahier, un carnet où ils notent leurs réflexions. C'est un **journal de bord**.

Ton **journal de bord** est un outil qui te permettra de garder des traces de tes préparatifs, de tes réflexions et de tes commentaires.

Pour conserver les réalisations dont tu es particulièrement fier ou fière, tu les placeras dans ton **portfolio**.

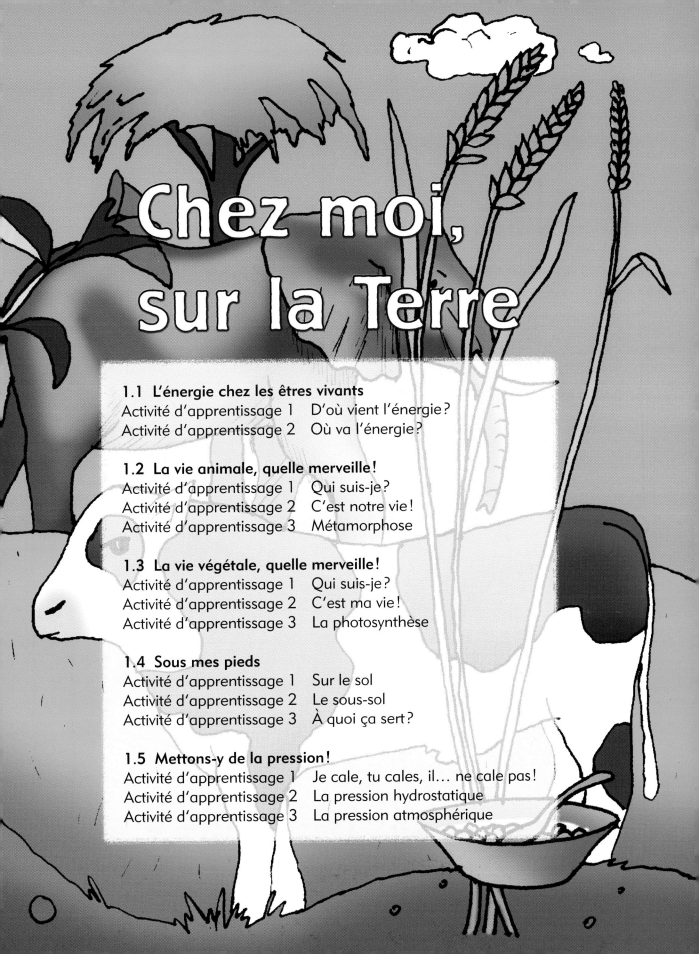

Chez moi, sur la Terre

L'énergie chez les êtres vivants

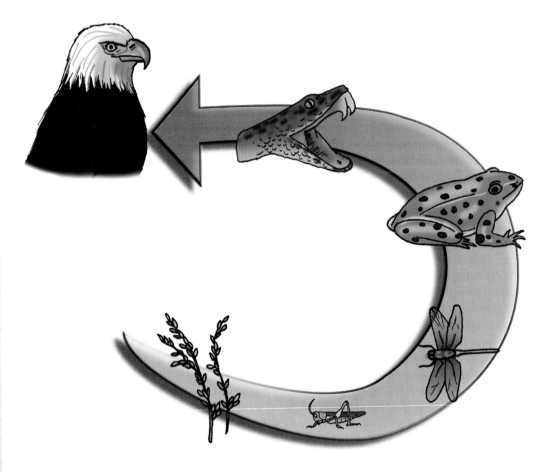

Tout être vivant a besoin d'**énergie** pour vivre, croître et se reproduire.

Cette énergie est transmise tout au long de la **chaîne alimentaire**.

D'où vient cette énergie ?

Comment est-elle utilisée par les êtres vivants ?

Tâche

Tu devras décrire le cheminement de l'énergie chez les êtres vivants.

Intentions de la tâche

Communiquer de façon appropriée.

Communiquer à l'aide des langages utilisés en **science** et en **technologie**.

Apprécier l'importance de l'énergie solaire dans ta vie.

Réaliser que l'énergie se transmet dans une chaîne alimentaire.

Activité d'apprentissage 1
D'où vient l'énergie?

Qu'arriverait-il si le Soleil s'éteignait?

Pourrions-nous, sur la Terre, grâce à nos ressources énergétiques, compenser la perte de l'énergie solaire?

Préparation

Imagine un scénario dans lequel l'humanité doit se passer de l'énergie solaire.

Activation

Réalisation

Présente ton scénario à la classe en utilisant le mode de présentation de ton choix.

Intégration

Dans ton scénario, quel type d'énergie remplace l'énergie solaire?
Crois-tu que cette situation pourrait un jour se réaliser?
Précise ta réponse.

Évaluation

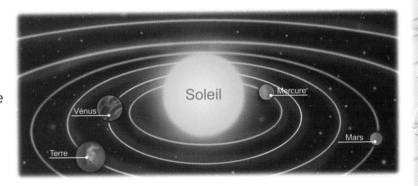

Évalue les présentations des autres équipes en accordant une attention particulière à l'originalité des moyens proposés pour remplacer l'énergie du Soleil.

Utilise la grille d'évaluation prévue à cet effet.

Savais-tu que le Soleil existe depuis environ 5 milliards d'années et continuera à nous inonder de son énergie pendant un autre 5 milliards d'années ? Notre source d'énergie n'est donc pas à la veille de se tarir.

Réinvestissement

Tu fais partie d'une mission dont l'objectif est d'implanter une colonie permanente sur Mars. Qu'apporterais-tu ? Justifie tes choix.

Retour à la tâche

Tu as sans doute réalisé que l'énergie dont nous disposons sur la Terre provient presque exclusivement (99 %) du Soleil. Sans la présence du Soleil, la vie serait totalement impossible sur la Terre.

Voyons maintenant ce qu'il advient de cette énergie lorsqu'elle arrive sur la Terre.

Activité d'apprentissage 2
Où va l'énergie?

Comme tu l'as réalisé à l'activité précédente, l'énergie que nous utilisons, quelle qu'en soit la forme, provient du Soleil.

L'illustration suivante montre ce qu'il advient de l'énergie solaire à son arrivée sur la Terre.

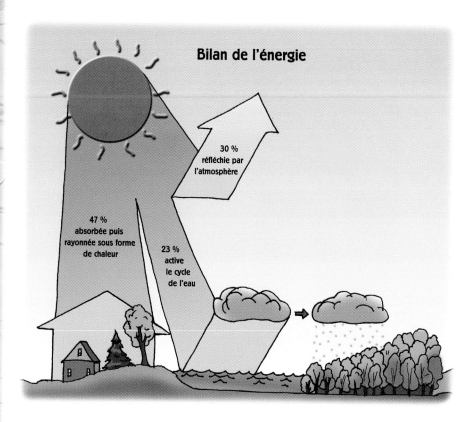

Bilan de l'énergie

30 %
réfléchie par
l'atmosphère

47 %
absorbée puis
rayonnée sous forme
de chaleur

23 %
active
le cycle
de l'eau

De cette énergie, 30 % est réfléchie par l'**atmosphère** et n'atteint jamais le sol et 23 % sert à activer le cycle de l'eau. Moins de la moitié (47 %) de cette énergie est absorbée par le sol puis émise sous forme de **chaleur**.

Une très petite partie de cette énergie est absorbée par les plantes, se retrouve dans la chaîne alimentaire et te provient sous forme de nourriture.

Préparation

Une fois entrée dans la chaîne alimentaire, cette énergie est transmise d'un **maillon** à l'autre. Chaque maillon constitue un **niveau trophique**.

À chaque transfert, approximativement les $\frac{9}{10}$ de cette énergie sont perdus en chaleur. Chacun des maillons transfère au maillon suivant environ 10 % de l'énergie qu'il reçoit.

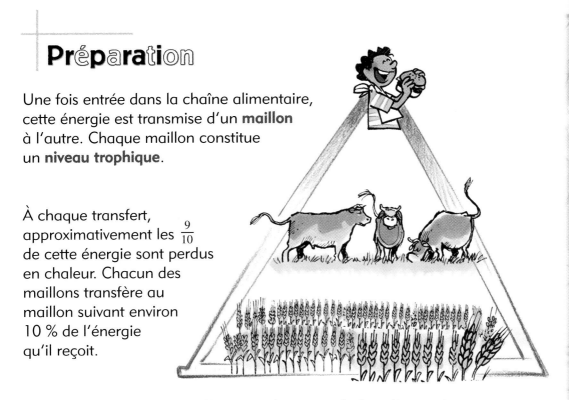

On représente le transfert d'énergie dans une chaîne alimentaire en dessinant une **pyramide alimentaire**. On représente de la même manière le transfert de matière.

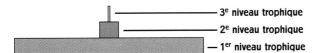

— 3ᵉ niveau trophique
— 2ᵉ niveau trophique
— 1ᵉʳ niveau trophique

Pyramide de l'énergie d'une chaîne alimentaire à trois maillons

L'unité d'énergie dans le Système international est le **joule** (symbole J), nommé en l'honneur du physicien britannique James Prescott Joule (1818-1889) qui démontra que la chaleur est une forme d'énergie.

On utilise souvent le kilojoule (kJ).
Un kilojoule vaut mille joules (1 kJ = 1000 J).

Réalisation

Dessine la pyramide de l'énergie des chaînes alimentaires suivantes :

A. Céréale → **boeuf** → **humain**

B. Céréale → **humain**

Modélisation Utilise comme base de la pyramide 10 carrés de 1 cm × 1 cm. Chaque carré représentera 10 J d'énergie.

Place tes dessins dans ton portfolio.

Intégration

D'après tes deux pyramides alimentaires, quelle est dans chaque cas la quantité d'énergie disponible à un humain à partir d'une quantité d'énergie de base de 100 J ?

D'après toi, pour nourrir le plus grand nombre d'humains sur la planète, devrions-nous favoriser la production de céréales ou la production de viande ? Précise ta réponse.

Réinvestissement

À partir du tableau suivant, peux-tu évaluer la quantité d'énergie que tu as consommée ce matin au petit-déjeuner?

Valeur énergétique de quelques aliments usuels[1]

Aliments	Unité de mesure	Masse (g)	Énergie (kJ)
Lait entier	250 ml	257	660
Lait (2 % m.g.)	250 ml	258	540
Lait au chocolat	250 ml	264	800
Jus de fruit	250 ml	262	500
Orange	1	180	270
Pamplemousse	1	240	190
Pomme	1	150	290
Céréales	200 ml	20	300
Pain	1 tranche	30	320
Bagel	1	70	800
Muffin	1	40	500
Croissant	1	50	900
Beignet	1	40	700
Crêpe	1	130	250
Pâtisserie sucrée	1	70	1 000
Tarte	1 pointe	160	1 600
Beurre et margarine	Carré de 5 ml	5	150
Oeuf	1	50	300
Jambon	1 tranche	40	160
Bacon	1 tranche	25	450
Confiture	15 ml	20	220

---

1. Ces valeurs sont approximatives et constituent des moyennes.

9

Aliments	Unité de mesure	Masse (g)	Énergie (kJ)
Beurre d'arachide	1 c. à table	14	350
Fromage Cheddar	1 morceau	45	700
Fromage Cottage	1 portion	125	400
Yogourt nature	1 portion	125	80
Yogourt aux fruits	1 portion	125	400

Évaluation

Présente tes pyramides alimentaires à ton enseignant ou ton enseignante. Ajoute ta réponse à la seconde question posée dans la section intégration.

Retour à la tâche

Cette tâche visait à te faire comprendre la notion de transfert d'énergie dans un **écosystème** et t'incitait à communiquer tes connaissances de façon appropriée.

Régulation et évaluation Montre, en citant des exemples, que tu as développé la compétence transversale *Communiquer de façon appropriée*.

La vie animale, quelle merveille !

Tâche

Tu devras décrire des caractéristiques de la vie des animaux.

Intentions de la tâche

Te donner des méthodes de travail efficaces.

Communiquer à l'aide des langages utilisés en science et en technologie.

Effectuer des recherches sur le **métabolisme** et la reproduction des animaux.

Développer tes habiletés d'observation et de manipulation.

Activité d'apprentissage 1
Qui suis-je?

Lorsqu'on est face à plusieurs individus que l'on veut étudier, il faut d'abord les classer selon des caractéristiques communes.

Classification

Préparation

Le tableau en annexe à la page 129 présente une classification simplifiée du règne animal.

Formez des équipes et consultez des sources d'information sur les animaux : manuels de zoologie, encyclopédies, Internet. Chaque équipe choisira un animal **vertébré** et un animal **invertébré**.

Coopération

Un animal vertébré possède une colonne vertébrale. L'**embranchement** des vertébrés comprend cinq **classes** : les poissons, les **amphibiens**, les reptiles, les oiseaux et les mammifères.

Un animal invertébré est dépourvu de colonne vertébrale. Certains ont un squelette externe appelé **exosquelette**. C'est le cas des insectes, des crustacés, des mollusques, etc.

Ressources matérielles

Effectuez une recherche sur l'**habitat** et les **aires de distribution** de chacun. Choisissez deux animaux qui partagent le même habitat.

Réalisation

Présente à la classe les résultats de ta recherche.

Intégration

Quelle classe d'animaux est la plus répandue sur la planète ?

Y a-t-il des espèces animales en danger d'extinction ?

Précise ta réponse et donne un exemple.

Évaluation

Ta présentation était-elle bien préparée ?

Ta présentation a-t-elle été appréciée par la classe ? Remplis la grille d'autoévaluation prévue à cet effet.

Savais-tu que l'on compte environ un million d'espèces d'insectes ? Les insectes constituent 80 % de la faune mondiale. Leur taille varie de 0,25 mm à 30 cm. Le dynaste hercule, un scarabée d'Amérique, peut peser jusqu'à 100 g.

Retour à la tâche

Après avoir déterminé l'habitat et les aires de distribution des animaux que tu as choisis, tu en donneras les principales caractéristiques à l'activité suivante.

Activité d'apprentissage 2
C'est notre vie!

Les caractéristiques des animaux varient considérablement d'une classe à une autre. Du papillon à l'éléphant, du requin à l'étoile de mer, chacun est adapté à son environnement, possède son mode d'alimentation et de reproduction.

Certains sont **carnivores** (le loup) alors que d'autres sont **herbivores** (le mouton).

Plusieurs pondent des oeufs. Ils sont **ovipares** si les oeufs éclosent à l'extérieur du corps de la mère (les oiseaux) ou **ovovivipares** si les oeufs éclosent à l'intérieur du corps de la mère (la vipère). Dans le cas des **vivipares**, les **embryons** se développent dans l'utérus de la mère (les mammifères).

Préparation

Les deux animaux, le vertébré et l'invertébré que ton équipe a choisis à l'activité précédente, présentent des caractéristiques très différentes. Cette activité consiste à établir des parallèles entre ces deux animaux et, si c'est le cas, à décrire les relations qui les rapprochent, étant donné que vous aviez choisi des animaux vivant dans le même habitat.

Classification Tu compareras leurs **caractéristiques morphologiques**, leurs modes de nutrition et de reproduction.

Réalisation

Dresse un tableau comparatif des caractéristiques des deux animaux choisis et présente-le à la classe.

Place tes documents dans ton portfolio.

Intégration

Qu'ont en commun les deux animaux que tu as étudiés ?

Quelles sont leurs principales différences ?

Ces animaux font-ils partie d'une même chaîne alimentaire ?

Précise ta réponse.

Évaluation

Présente tes documents à ton enseignant ou ton enseignante.

La sterne arctique passe l'été dans l'Arctique. À la fin de l'été, elle amorce une migration de 20 000 km jusqu'en Antarctique.

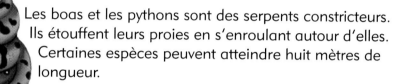

Les chauves-souris sont les seuls mammifères volants. Elles ont une longévité exceptionnelle. Certaines peuvent vivre jusqu'à vingt ans. Elles dorment le jour et chassent la nuit en localisant leurs proies à l'aide d'ultrasons.

Les boas et les pythons sont des serpents constricteurs. Ils étouffent leurs proies en s'enroulant autour d'elles. Certaines espèces peuvent atteindre huit mètres de longueur.

Retour à la tâche

Comme tu as pu le voir, chaque espèce animale possède ses propres caractéristiques.

Une caractéristique propre aux amphibiens et à certains insectes est la **métamorphose**.

C'est le sujet de la prochaine activité d'apprentissage.

Activité d'apprentissage 3
Métamorphose

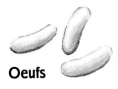

Oeufs

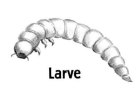

Larve

Nymphe

Adulte

Le changement est une caractéristique des êtres vivants. Depuis ta naissance, ton corps se développe lentement et subit de nombreux changements. Lorsqu'un organisme change d'une forme à une autre, c'est une métamorphose. La métamorphose est une caractéristique propre à certaines espèces animales et à plusieurs insectes.

Préparation

As-tu déjà trouvé des insectes à la maison ?
Si oui, décris-les et nomme-les.

Crois-tu qu'on puisse élever des insectes ?

Cette activité te permettra d'observer l'évolution et le développement d'un insecte à partir de la larve.

Matériel suggéré
Pour chaque équipe :
Un pot en verre avec un couvercle troué
Une loupe
Une balance
Du papier quadrillé
Une règle
Du gruau
Des pommes
Des ténébrions au **stade larvaire**

Pour la manipulation des ténébrions, prévoir des gants de caoutchouc et des cure-dents.

Réalisation

A. Je suis une larve.
Ton enseignante ou ton enseignant te remettra un contenant.

Une fois en possession de ton contenant, essaie délicatement d'y trouver ce qui est vivant.

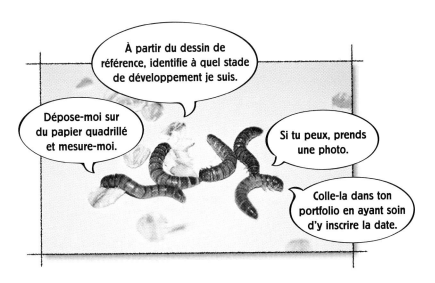

À partir du dessin de référence, identifie à quel stade de développement je suis.

Dépose-moi sur du papier quadrillé et mesure-moi.

Si tu peux, prends une photo.

Colle-la dans ton portfolio en ayant soin d'y inscrire la date.

Dessine un ténébrion au stade adulte.

Note ses principales caractéristiques (parties du corps, nombre de pattes, nombre d'antennes, etc.).

Compare ton dessin à ceux des autres membres de ton équipe.

B. Je me développe.
Place le gruau et les ténébrions dans ton pot en verre.

Ajoutes-y trois petits morceaux de pomme.

Pendant plusieurs semaines, observe régulièrement le contenu de ton pot.

Nourris tes larves le plus souvent possible.

Es-tu capable de compter les segments du ténébrion?

Comment se déplace-t-il?

Fais des croquis.

Note tes observations.

Ces observations incluent-elles un changement de stade? Si oui, lequel?

Intégration

Activation — Crois-tu que tous les insectes passent par le stade larvaire?

Est-ce que les insectes sont des animaux?

Si oui, qu'est-ce qui les caractérise?

Combien y a-t-il de stades dans la métamorphose du ténébrion?

Est-ce que les autres équipes de ta classe sont arrivées aux mêmes résultats?

Précise ta réponse.

Amuse-toi à mettre de l'ordre dans ces quatre dessins.

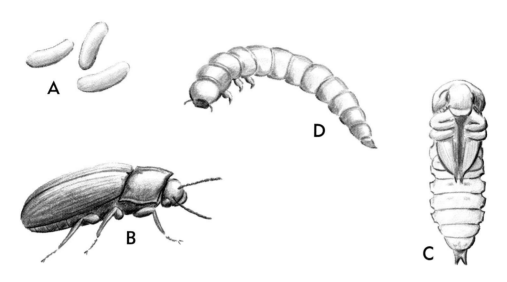

Savais-tu que le développement des papillons passe aussi par quatre stades?

Peux-tu les identifier?

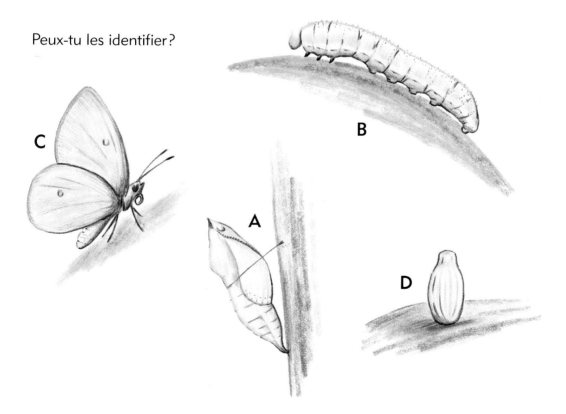

Réinvestissement

Ressources matérielles — Documente-toi à la bibliothèque ou dans Internet. Si tu en as la possibilité, élève d'autres insectes.

Évaluation

Évalue ta participation au travail de ton équipe. Remplis la grille prévue à cette fin.

Retour à la tâche

Régulation et évaluation — La compétence disciplinaire que tu devais développer dans cette tâche touche la communication.

Es-tu satisfait ou satisfaite de la qualité de tes présentations dans cette tâche?

Précise ta réponse.

Quels points souhaiterais-tu améliorer si tu avais à refaire tes présentations à l'intention d'une autre classe?

La vie végétale, quelle merveille !

Tâche

Tu devras décrire des caractéristiques de la vie des plantes.

Intentions de la tâche

Exploiter l'information.

 Mettre à profit les outils, objets et procédés de la science et de la technologie.

Effectuer des recherches sur le métabolisme et la reproduction des plantes.

Activité d'apprentissage 1
Qui suis-je?

Dans le cadre de la tâche 1.2, tu as réalisé l'importance de la classification dans l'étude des animaux. Cette façon de faire de la science et de la technologie est aussi utile pour l'étude des végétaux.

La flore a de nombreux visages. Il y a plusieurs types de végétaux ayant des caractéristiques très différentes. Les botanistes ont retenu comme critères de classement le mode de reproduction (avec ou sans fleurs) et l'organisation (avec ou sans tiges, racines ou feuilles).

Préparation

En annexe, à la page 130, tu as une clé de classification simplifiée du règne végétal.

Ressources matérielles

Formez des équipes et consultez des sources d'information sur les plantes : manuels de botanique, Internet, etc.

Chaque équipe choisira un des sept embranchements des végétaux du tableau et fera une recherche sur un représentant de cet embranchement.

Ta recherche portera sur l'habitat du végétal et sur ses aires de distribution.

Réalisation

Utilise le mode de présentation de ton choix et présente à la classe le résultat de ta recherche sur l'habitat et les aires de distribution d'une espèce végétale représentative de l'embranchement que ton équipe a choisi.

Intégration

À quel embranchement appartient la plante que tu as choisie?

Quel est l'embranchement végétal le plus répandu sur la planète?

Y a-t-il des espèces végétales en danger d'extinction?

Précise ta réponse et donne un exemple.

Évaluation

Évalue ta contribution au travail d'équipe.
La qualité de ta contribution s'est-elle améliorée depuis la tâche précédente?
Précise ta réponse.

Retour à la tâche

Maintenant que tu as situé géographiquement ta plante, tu en donneras les principales caractéristiques.

Activité d'apprentissage 2
C'est ma vie!

Les principales parties des plantes supérieures sont :
la tige,
la feuille,
la fleur
et les racines.

Pour se nourrir, la plante capte par ses racines l'eau et les sels minéraux présents dans le sol et produit du sucre à partir de cette eau et du dioxyde de carbone (gaz carbonique) présent dans l'atmosphère. Ce processus de transformation se nomme **photosynthèse**. La photosynthèse s'effectue au niveau des feuilles. Il en sera question à la prochaine activité d'apprentissage.

Comme tout organisme vivant, les plantes naissent, se nourrissent, se reproduisent et meurent. C'est le grand cycle de la vie.

L'illustration suivante montre la naissance et la croissance d'un plan de haricot.

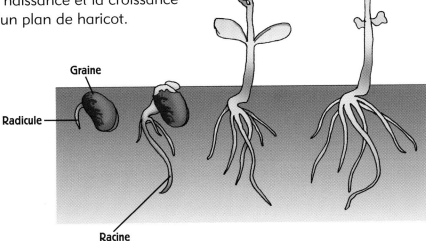

Graine

Radicule

Racine

La graine de haricot contient un embryon et une réserve alimentaire protégés par une enveloppe dure. La graine provient de la fécondation qui s'est effectuée lorsqu'un grain de pollen provenant de l'organe mâle d'une fleur, l'**étamine**, a été transporté par le vent, un insecte ou un oiseau, jusqu'à l'organe femelle d'une autre fleur, le **pistil**.

Cette graine est en dormance jusqu'à ce que les conditions soient favorables à sa croissance. Sous l'action de l'eau, l'enveloppe se fend, libérant une radicule. Celle-ci donne naissance à un nouveau plan de haricot.

Des fleurs de haricot

Préparation

Ressources matérielles

La plante que ton équipe a choisie à l'activité précédente possède les caractéristiques propres à son embranchement.

Rassemble les données relatives à la **morphologie**, la nutrition, la croissance et la reproduction de ta plante.

Réalisation

Présente à la classe les principales caractéristiques de la plante que tu as choisie.

Intégration

Coopération

Mettez en commun les caractéristiques de vos plantes et établissez leurs ressemblances et leurs différences.

Évaluation

Évalue la présentation des autres équipes en utilisant la grille prévue à cet effet.

Réinvestissement

Fais tremper dans l'eau des graines de haricot pendant environ une journée, plante-les et observe leur croissance.

Les graines doivent être plantées dans un sol bien drainé et à environ 3 cm de profondeur. N'oublie pas de les arroser.

Si tu en as l'occasion, vérifie l'effet de divers paramètres sur le taux de croissance : ensoleillement, température, arrosage, etc.

Pour les vérifier, il s'agit de faire varier un paramètre, puis de comparer les résultats par rapport à un **groupe témoin**.

> Expérimentation

Par exemple, pour vérifier l'effet de l'arrosage, plante trois groupes de graines dans trois contenants différents et dans des conditions identiques. Le groupe témoin recevra un arrosage normal (terre humide). Un autre groupe recevra peu d'eau et le troisième en recevra beaucoup. Vérifie à intervalles réguliers la croissance des trois groupes et note tes observations. Le même procédé peut s'appliquer à l'ensoleillement, le type de sol, la température, etc.

Retour à la tâche

Les plantes sont les seuls êtres vivants dont l'organisme est capable de fabriquer sa propre nourriture.

Voyons comment cela se produit.

Activité d'apprentissage 3
La photosynthèse

L'étonnant processus grâce auquel les plantes convertissent l'énergie lumineuse en nourriture s'appelle la photosynthèse.

La photosynthèse s'effectue à l'intérieur de la cellule végétale grâce à des pigments, tels que la chlorophylle, soigneusement empilés dans les membranes des chloroplastes.

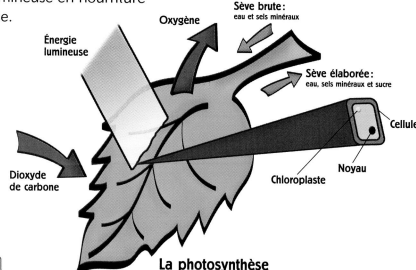

La photosynthèse

Préparation

Réception De façon sommaire, la photosynthèse s'effectue de la manière suivante : la feuille absorbe de l'eau et du dioxyde de carbone. Grâce à l'énergie lumineuse, elle transforme ces substances en sucre, dont elle se nourrit, et dégage de l'oxygène.

Dioxyde de carbone + Eau + Énergie lumineuse → Sucre + Oxygène

Réalisation

En t'inspirant du processus de la photosynthèse, réponds aux questions suivantes :
Pourquoi plusieurs personnes disent-elles que les arbres (et les plantes, de façon générale) sont les poumons de la planète ?
Qu'arriverait-il si on éliminait toutes les plantes vertes de la planète ?

Intégration

En l'absence de lumière, le processus de la photosynthèse cesse et est remplacé par le processus de la **respiration** : la plante dégage alors du dioxyde de carbone et de la vapeur d'eau.

Savais-tu que certaines plantes n'ont pas de chloroplastes, donc pas de chlorophylle ? Ainsi, elles ne peuvent pas faire de photosynthèse. Parmi celles-ci, *Epifagus virgiana*, *epi* voulant dire au-dessus et *fagus* étant le nom scientifique pour le hêtre, est un végétal commun dans l'ouest et le sud du Québec. Il vit en **parasite** sur les racines de cet arbre.

Réinvestissement

La photopériode et le phototropisme
On peut distinguer parmi les facteurs climatiques un ensemble de facteurs énergétiques (l'ensoleillement et la température), de facteurs hydrologiques (l'eau, l'humidité, etc.) et de facteurs mécaniques (vent, précipitations, etc.).

La lumière joue un rôle particulier dans la plupart des phénomènes écologiques. Son intensité et sa durée conditionnent l'activité photosynthétique.

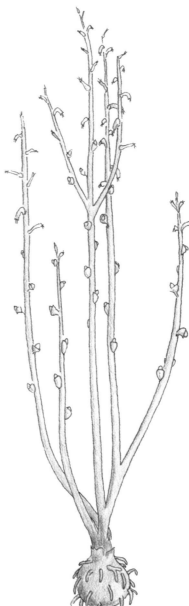

Épiphage de Virginie

La **photopériode** est le phénomène par lequel il y a alternance entre une période de lumière et une période d'obscurité. Si la photopériode est de 14 : 10, cela signifie qu'il y a présence de lumière pendant 14 heures et que le reste de la journée est passé dans l'obscurité.

Certains végétaux ont besoin de beaucoup de lumière, d'autres pas ou peu.

La photopériode est-elle la même toute l'année chez toi ?

La photopériode est-elle la même partout sur la planète ?

Précise tes réponses.

Savais-tu que la photopériode influence la chute des feuilles à l'automne et qu'elle joue un rôle sur la coloration de la fourrure du lièvre à l'approche de la saison hivernale ?

Peux-tu identifier d'autres influences de la photopériode sur des plantes ou des animaux ?

Le phototropisme

Le **phototropisme** (du grec *hêlios*, soleil et *tropos*, tour) est le phénomène par lequel un végétal s'oriente vers une source de lumière.

Expérimentation Place une plante (avec ou sans fleurs) près d'une source de lumière fixe. Après quelques semaines, que remarques-tu ?

Regarde attentivement cette fleur.

Pourquoi l'appelle-t-on tournesol?

Évaluation

En développant la compétence transversale *Exploiter l'information*, tu as appris plusieurs mots nouveaux.

Écris ces mots et donnes-en la signification dans tes propres mots.

Pourrais-tu expliquer à un parent ce que tu as appris en effectuant cette tâche?

Retour à la tâche

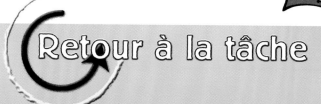

En quoi la classification est-elle utile pour étudier les plantes?

Quelle est la nourriture produite par la photosynthèse?

Décris un moment où tu as développé la compétence transversale *Exploiter l'information*.

Décris un moment où tu as développé la compétence disciplinaire *Mettre à profit les outils, objets et procédés de la science et de la technologie*.

Régulation et évaluation

Sous mes pieds

Tu habites une planète qui offre des conditions propices à la vie.
L'atmosphère qui entoure la Terre te fournit l'air nécessaire à ta respiration.
L'eau qui la recouvre aux trois quarts est essentielle au maintien de la vie.
Le sol sur lequel ta maison et ton école sont construites est assez
solide pour les soutenir.

Mais que sais-tu du sol sur lequel tu te déplaces tous les jours?
Qu'y a-t-il sous tes pieds?

Tâche

Tu décriras des éléments de la surface et du sous-sol de la Terre.

Intentions de la tâche

Exploiter l'information.

Mettre à profit les outils, objets et procédés de la science et de la technologie.

Te faire découvrir des caractéristiques de la croûte terrestre.

Activité d'apprentissage 1
Sur le sol

Regarde dehors. Que vois-tu? Une montagne? Une étendue d'eau? Une vallée? Tous ces éléments font partie du relief de la surface terrestre. Si tu habites la ville et qu'en regardant dehors tu vois une construction, tu sais que cette construction fait partie d'un ensemble érigé dans une vallée, près d'un cours d'eau, etc.

En sciences de la Terre, il arrive souvent que l'on construise des maquettes pour représenter une région. Contrairement à une photo, une maquette donne une meilleure idée du relief.

Préparation

Diviser votre région en autant de sections qu'il y a d'équipes dans la classe.

Chaque équipe choisira une section et en construira une maquette, à l'échelle. Les maquettes seront ensuite rassemblées pour former une grande maquette de la région. Toutes les équipes utiliseront la même échelle.

Réalisation

Modélisation Fais un plan à l'échelle de la section choisie.

Ton plan indiquera les caractéristiques physiques de la topographie: relief, cours d'eau, de même que le type de végétation.

À partir de ton plan, fabrique une maquette de ta section. Utilise les matériaux de ton choix.

Intégration

Mettez vos maquettes en commun et agencez-les de manière à obtenir une grande maquette de toute la région.

Coopération

Évaluation

Évalue les maquettes des autres équipes.
Remplis la grille d'évaluation prévue à cet effet.

Réinvestissement

Écris un guide touristique de ta région.
Le guide présentera :
a)   les caractéristiques topographiques de la région,
b)   la faune et la flore qu'on y trouve,
c)   les aménagements récréatifs,
d)   les aménagements culturels,
e)   les principaux événements culturels annuels.

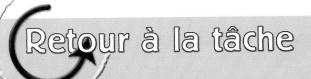

Retour à la tâche

Après avoir fait l'inventaire des caractéristiques des éléments de la surface de ta région, allons voir ce qu'il y a en dessous.

Activité d'apprentissage 2

Le sous-sol

L'illustration ci-contre présente une coupe de la Terre. Tu remarqueras que la croûte terrestre est très mince (moins de 100 km) par rapport au rayon (environ 6 400 km).

Le manteau est solide et a une épaisseur moyenne de 2 800 km.

Le noyau externe est liquide et a une épaisseur moyenne de 2 300 km.

Le noyau interne est solide, composé de fer et de nickel, et a une épaisseur moyenne de 1 200 km.

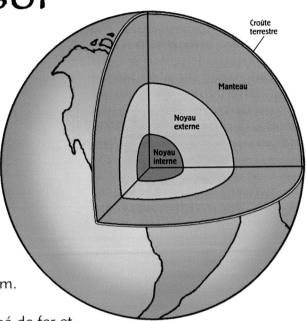

Les roches et les minéraux

L'écorce terrestre est formée de **roches** que l'on nomme, selon leur origine, **roches ignées**, **roches sédimentaires** ou **roches métamorphiques**.

Roches ignées

Roches sédimentaires

Roches métamorphiques

Les roches sont formées de minéraux.
Par exemple, le granite est une roche ignée.
Il est formé principalement de trois
minéraux : le feldspath, le quartz et le mica.

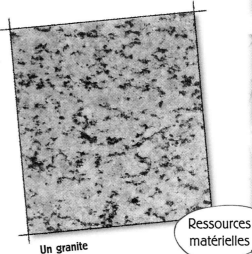

Un granite

Préparation

Consulte la documentation de ton choix
et trouve la définition des mots *ignée,
sédimentaire* et *métamorphique*.

Qu'est-ce qu'un minéral ?
Qu'est-ce qu'un minerai ?
Inscris ces renseignements dans ton journal de bord.

Ressources
matérielles

Réalisation

Apporte une roche de ta région et décris-la le plus complètement
possible, en précisant ses caractéristiques.

Observation

Voici quelques caractéristiques qui pourront guider tes observations :
La taille et la couleur des grains qui la composent.
L'alignement des grains.
La présence ou non de cristaux.

Pour mieux voir les détails, utilise une loupe.

Réfère-toi aux tableaux descriptifs ainsi qu'aux photos de roches
en annexe (pages 131 à 133).

Intégration

Revenez à la maquette de votre région et indiquez les endroits
où les roches ont été trouvées.

Votre municipalité est-elle construite sur de la roche ignée, sédimentaire ou métamorphique?

Connais-tu un ou une géologue? Crois-tu qu'il ou elle accepterait de venir rencontrer les élèves de ta classe?

Évaluation

Quelle distinction fais-tu entre une roche et un minéral?
Quelle distinction fais-tu entre un minéral et un minerai?
Quel type de roche est formé à la suite de dépôts?
Quel type de roche s'est cristallisé lors du refroidissement d'un **magma**?

Réinvestissement

Y a-t-il des mines ou des carrières dans ta région? Si oui, quels en sont les produits d'extraction?

La mine d'or Kiena en Abitibi

Une exploitation de calcaire en Estrie

Retour à la tâche

Tu as fait l'inventaire partiel du sous-sol de ta région. Voyons maintenant quel usage on peut en faire.

Activité d'apprentissage 3
À quoi ça sert?

Les roches et
les minéraux
servent à
la fabrication
d'une multitude
d'objets.

En voici
quelques-uns.

Préparation

Voici sept objets qui sont fabriqués à partir de **ressources minérales** :
un ressort d'automobile
une aile d'avion
une bouteille de 2 l de boisson gazeuse
un fil électrique domestique
une boîte de conserve
la monture d'une pierre précieuse
une pierre tombale

Ressources
matérielles

Réalisation

De quelle substance ces objets sont-ils fabriqués?

41

Intégration

Effectue une recherche pour déterminer la provenance de ces substances. Par exemple, un pare-brise d'auto est fait de verre et le verre provient de la silice.

Évaluation

As-tu trouvé tous les renseignements que tu as cherchés?
Quelles ont été tes principales sources de référence?
Quelles difficultés as-tu rencontrées?

Réinvestissement

Choisis un objet familier. Les parties de cet objet sont probablement fabriquées à partir de plusieurs substances différentes.
Identifie les substances qui proviennent de matières minérales.
Retrace le chemin de la substance, de la matière première jusqu'au produit fini.

Retour à la tâche

Régulation et évaluation

Dans cette tâche, tu devais développer la compétence transversale *Exploiter l'information*.

Précise à quel moment tu as activé chacune des composantes de la compétence:
– *Reconnaître diverses sources d'information.*
– *S'approprier l'information.*
– *Tirer profit de l'information.*

Mettons-y de la pression !

Les bulletins météo mentionnent continuellement la présence de zones de haute **pression** et de basse pression.

Lorsque tu gonfles les pneus de ton vélo, tu t'assures d'y souffler assez d'air pour obtenir le niveau de pression recommandé.

Mais qu'est-ce que la pression ?

 Tâche

Tu te familiariseras avec la notion de pression en l'expérimentant avec un solide, un liquide et un gaz.

Intentions de la tâche

Te donner des méthodes de travail efficaces.

 Proposer des explications ou des solutions à des problèmes d'ordre scientifique ou technologique.

Comprendre la notion de pression.

Activité d'apprentissage 1

Je cale, tu cales, il... ne cale pas!

Tu effectues une randonnée dans la neige avec tes camarades.

Vous atteignez un endroit où la neige est abondante.

Vous vous enfoncez et tu remarques que certains s'enfoncent plus que d'autres.

Préparation

Pourquoi certains objets s'enfoncent-ils plus que d'autres lorsqu'ils reposent sur une même surface meuble?

Énonce des facteurs qui, d'après toi, influencent la profondeur à laquelle un objet s'enfonce.

Imagine puis réalise une expérience qui t'aidera à vérifier l'effet de ces facteurs.

Expérimentation

45

Des objets de poids différents et de formes différentes
Ta main ou ton pied
De la neige, du sable ou toute autre substance meuble
Une règle

Réalisation

Réalise ton expérience et note tes résultats dans un tableau de ta conception.

Intégration

Qu'est-ce qui fait qu'un objet s'enfonce plus qu'un autre dans une même substance meuble?

La pression

La pression est l'effet d'une **force** appliquée à une surface. C'est le rapport entre la force appliquée et l'aire de la surface sur laquelle s'exerce cette force.

Réception

Pour une même surface, plus la force appliquée est grande, plus la pression est grande. Pour une même force, plus l'aire de la surface pressée est grande, plus la pression est faible.

Une plus grande pression exercée sur une surface tend à la déformer davantage.

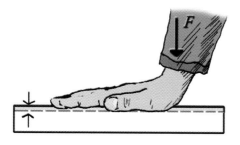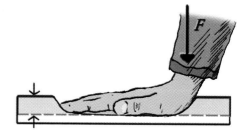

Les Amérindiens avaient bien intégré la notion de pression.

Pour faciliter leurs déplacements sur la neige, ils ont inventé les raquettes.

En quoi les raquettes contribuent-elles à diminuer la pression qu'une personne exerce sur la neige?

Évaluation

Donne des exemples d'objets qu'on utilise :
a)   pour diminuer la pression exercée sur une surface ;
b)   pour augmenter la pression exercée sur une surface.

Savais-tu que la lame d'un patin à glace exerce sur celle-ci une pression tellement forte qu'elle la fait fondre?

C'est cette mince pellicule d'eau, résultat combiné de plusieurs facteurs dont la pression et le frottement de la lame, qui assure la glisse du patin.

Retour à la tâche

Un corps solide qui repose sur une surface exerce une pression sur celle-ci. Tu as identifié les deux facteurs qui influencent la grandeur de cette pression. Un liquide peut-il, tout comme un solide, exercer une pression? Ce sera l'activité d'apprentissage 2.

Activité d'apprentissage 2

La pression hydrostatique

Préparation

L'eau a-t-elle un poids ?
Exerce-t-elle une pression sur les parois qui la retiennent ?
Cette pression dépend-elle de la profondeur ?

Expérimentation Fais des prévisions.

La manipulation suivante te permettra d'établir une relation
entre la profondeur et la pression.

Matériel suggéré

Une bouteille de 2 l en plastique
Un contenant servant à verser l'eau dans la bouteille
Un bac en plastique
De l'eau
Une règle
Un objet pour perforer la bouteille
Du ruban adhésif ou des bouchons
Un entonnoir

Réalisation

a) Construction

Perce trois trous identiques dans la paroi de la bouteille, tel qu'indiqué ci-contre.

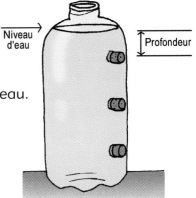

Bouche les trois trous et emplis la bouteille d'eau.

Marque le niveau d'eau dans la bouteille.

Mesure la profondeur (h) de chaque trou. C'est la distance entre la surface de l'eau et le milieu du trou.

D'après toi, lequel des trois jets aura la plus grande **portée**?

b) Expérimentation

Place la bouteille dans le bac.

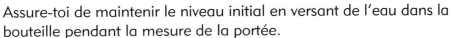

Retire un des bouchons.

Mesure la portée du jet d'eau en plaçant à 5 cm en dessous du trou une règle appuyée horizontalement contre la bouteille.

Note tes résultats.

Assure-toi de maintenir le niveau initial en versant de l'eau dans la bouteille pendant la mesure de la portée.

Répète l'expérience pour les deux autres trous.

c) Le tableau des données

Note tes résultats sous forme de tableau.

Intégration

Établis une relation entre la portée et la profondeur en traçant un graphique de la portée en fonction de la profondeur.

Utilise la feuille graphique prévue à cette fin.
Place les valeurs des portées sur l'axe vertical.
Place les valeurs des profondeurs sur l'axe horizontal.

Trace les points situés à la rencontre de chacune de ces valeurs en t'inspirant du graphique suivant.

Trace sur ton graphique un quatrième point à (0,0). On appelle ce point l'**origine du graphique**.

Relie tes quatre points par une ligne continue.

Que peux-tu conclure à propos de la relation entre la portée du jet d'eau et la profondeur?

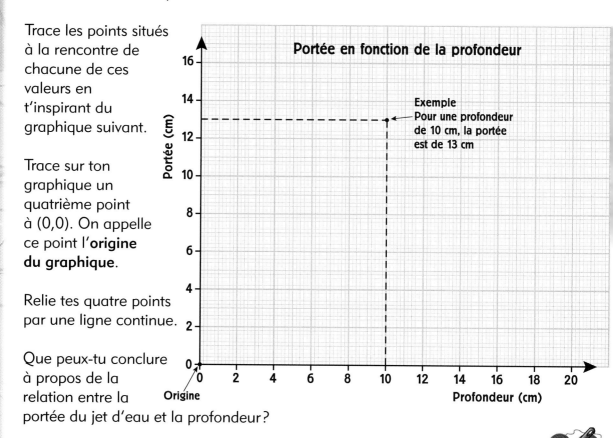

Portée en fonction de la profondeur

Portée (cm) / Profondeur (cm)

Exemple
Pour une profondeur de 10 cm, la portée est de 13 cm

Origine

Compare ton graphique à ceux des autres équipes.

La portée d'un jet d'eau dépend de la pression qui le provoque.

Que peux-tu conclure à propos de la relation entre la pression dans un liquide et la profondeur?

Place ton graphique dans ton portfolio.

Évaluation

Ta prévision s'est-elle avérée exacte?

Quelle aurait été la portée du jet d'eau si l'orifice avait été percé à mi-chemin entre le premier orifice et le deuxième?

Savais-tu que la forme des barrages des centrales hydroélectriques tient compte de l'augmentation de la pression de l'eau avec celle de la profondeur?

Savais-tu qu'un sous-marin qui s'aventure à une trop grande profondeur risque d'**imploser** sous l'effet de la **pression hydrostatique**? À la suite d'une avarie survenue en 1963, le sous-marin américain *Tresher* a été écrasé sous l'effet de la pression, parce qu'il a été incapable de freiner sa chute vers les profondeurs de l'océan. Il repose à 2 590 m de profondeur.

Savais-tu que pour explorer les grandes profondeurs océaniques, on utilise des bathyscaphes? Ces appareils de plongée sont conçus pour résister à de très grandes pressions.

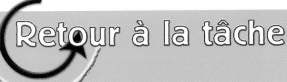

Retour à la tâche

Un solide et un liquide peuvent tous deux exercer une pression. Les solides et les liquides exercent une pression sur les surfaces avec lesquelles ils sont en contact.

Mais est-ce qu'un gaz, l'air par exemple, peut aussi exercer une pression?

Activité d'apprentissage 3

La pression atmosphérique

Nous vivons tous au fond d'un océan d'air appelé atmosphère. La couche d'air, d'une épaisseur d'environ 600 km, qui entoure la Terre permet l'existence d'une **biosphère**. Plus de la moitié de l'air atmosphérique est concentrée dans les premiers 15 km.

Préparation

La couche d'air qui entoure la Terre et que nous nommons atmosphère exerce-t-elle une pression sur les objets et sur toi?

(Expérimentation) Qu'en penses-tu?

Une expérience te permettra de le vérifier.

Matériel suggéré
Une bouteille en plastique mince avec son bouchon
De l'eau chaude
De la glace
Un bac en plastique
Un entonnoir

52

Réalisation

Verse un peu d'eau bouillante dans la bouteille.

Visse le bouchon.

Place la bouteille dans un bac contenant de l'eau et de la glace.

Qu'observes-tu ?
Note tes observations.

Explique ce qui s'est passé.
Quelle conclusion peux-tu tirer de ton expérimentation ?

Intégration

Réalise l'expérience suivante.
Verse-toi un verre d'eau.

À l'aide d'une paille, aspire l'eau.

Assure-toi que la paille est remplie complètement et que son extrémité inférieure demeure immergée.

Retire la paille de ta bouche et, sans laisser entrer d'air, bloque l'extrémité supérieure de la paille avec ton pouce.

Retire lentement la paille du liquide en maintenant ton pouce sur l'extrémité.

Que remarques-tu ?

Explique le phénomène observé.

Expérimentation

Comment appelle-t-on
la pression que l'air exerce ?

Enlève ton pouce de
l'extrémité de la paille.
Qu'arrive-t-il ?

Évaluation

Explique le rôle de la pression dans la mise en
situation que te proposera ton enseignant ou
ton enseignante.

Présente ton explication à la classe.

Réinvestissement

Quand la pression se transmet.

(Expérimentation) Réalise le montage ci-contre.

Souffle dans le tube de droite.

Que se passe-t-il ?

Utilise tes connaissances sur
la pression pour expliquer ce
que tu observes.

Savais-tu que tu peux vider un aquarium à l'aide d'un **siphon**?
C'est la pression atmosphérique qui permet l'écoulement de l'eau.

Savais-tu que la pression de l'air se mesure à l'aide
d'un **baromètre**?

Le baromètre à mercure consiste en un long tube
rempli de mercure, fermé à son extrémité
supérieure et dont l'extrémité inférieure baigne
dans un récipient rempli de mercure. Ce métal
est le seul à être liquide à la température de
la pièce. Ceux qui manipulent le mercure le
font avec précaution, car il est toxique.

La **pression atmosphérique** maintient la
colonne de mercure à une hauteur
d'environ 76 cm.

Cette hauteur varie selon qu'on est dans
une zone de haute ou de basse pression.

Une hauteur de 76 cm de mercure correspond
à une pression de 101 **kilopascals** (kPa).

Réception

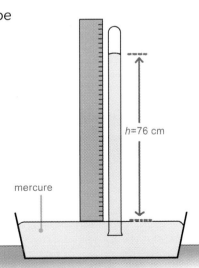

h=76 cm

mercure

Baromètre à mercure

Savais-tu que le baromètre à mercure a été inventé par le physicien italien Evangelista Torricelli en 1643 ?

Le **baromètre anéroïde** (ou baromètre métallique) fonctionne selon le principe suivant :

Une petite boîte métallique, dont les parois sont flexibles, est partiellement vidée de son air.

Ces parois présentent des cannelures circulaires qui lui permettent de se déformer sous l'action de la pression atmosphérique.

Une aiguille fixée à une paroi se déplace sur un cadran gradué.

Le schéma ci-contre illustre le fonctionnement de l'appareil.

Coupe d'un baromètre métallique

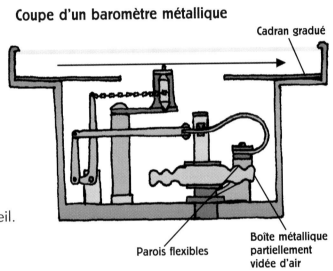

Cadran gradué

Parois flexibles

Boîte métallique partiellement vidée d'air

Retour à la tâche

Régulation et évaluation Explique à quels moments tu as activé chacune des composantes de la première compétence en Science et technologie .

Consulte la page X de ton manuel.

Réflexions sur le thème 1

Ce thème avait pour but l'étude de ton environnement.

La première tâche de ce thème s'inscrivait dans le domaine général de formation *Santé et bien-être*.

Les quatre autres tâches s'inspiraient du domaine *Environnement et consommation*.

Les trois compétences disciplinaires en Science et technologie étaient touchées ainsi que les compétences transversales *Exploiter l'information*, *Se donner des méthodes de travail efficaces* et *Communiquer de façon appropriée*.

Choisis parmi ces compétences une compétence disciplinaire et une compétence transversale, et indique des moments où tu les as développées.

Régulation et évaluation

Thème 2

L'air en mouvement

Dans les nuages 2.1

Aimerais-tu, un jour, avoir un bateau? Faire de la navigation?

Tout bon capitaine doit être capable d'assurer la sécurité de son équipage. Il est important de savoir entre autres l'heure des marées et le temps qu'il fera. Les nuages nous donnent beaucoup d'indices; il s'agit d'être capable de les décoder. Voici des activités où tu apprendras à «lire» ces indices. Bonne aventure!

Tâche

Tu t'initieras au monde des nuages.

Intentions de la tâche

Exploiter l'information.

Communiquer à l'aide
des langages utilisés en science
et en technologie.

Te faire découvrir le monde des nuages.

Activité d'apprentissage 1

Comment se forment les nuages?

Tu vois des nuages presque tous les jours.

Ont-ils tous la même forme? La même couleur? Connais-tu leur nom?

Préparation

Comment se forment les nuages?

De quoi sont-ils formés?

Ressources matérielles — Est-ce que la différence d'altitude a un effet sur la composition des nuages?

Tu devras faire une recherche pour trouver des réponses à ces questions et à celles que tu te poses.

Avec les renseignements recueillis, tu construiras une affiche.

Réalisation

À l'aide d'Internet ou de toutes autres ressources (livres sur la météo, encyclopédies, etc.), renseigne-toi sur la formation et la composition des nuages.

Prends note de tes découvertes.

Réalise une affiche illustrant la formation et la composition des nuages et présente-la à la classe.

Intégration

S'il y a lieu, réajuste tes explications à la lumière de celles des autres équipes.

Évaluation

Est-ce que tout le monde a proposé la même explication à propos de la formation et de la composition des nuages ?

Avez-vous trouvé des informations supplémentaires qui seraient pertinentes pour le reste du groupe ?

Retour à la tâche

Maintenant que tu sais comment se forment les nuages, voyons comment les identifier.

Activité d'apprentissage 2

Les nuages ont de la classe!

Préparation

Observation

Quand on les regarde rapidement, les nuages se ressemblent tous.

Maintenant, arrête-toi et observe bien.

Tu verras qu'ils ont des ressemblances et des différences.

À partir de certains indices, essaie de les identifier.

Classification

Le schéma suivant t'aidera à classer des nuages.

Les nuages en cinq mots

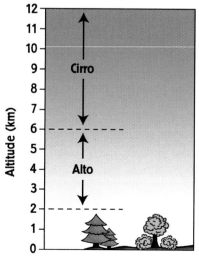
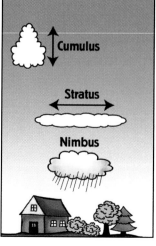

Les préfixes cirro et alto indiquent l'altitude. Les cumulus sont des nuages à développement vertical. Les stratus sont des nuages à développement horizontal. Les nimbus sont à l'origine de précipitations.

Il existe dix principales catégories de nuages, déterminées selon leur altitude et selon leur développement, vertical ou horizontal. L'aspect général des nuages varie selon leur composition (gouttelettes d'eau ou cristaux de glace).

Les pages suivantes contiennent des photos et des descriptions de nuages. Il existe d'autres sortes de nuages, mais le but est de connaître les principales catégories.

Les principales catégories de nuages

1. **Cirrus (haute altitude)**
   Altitude approximative : 6 à 12 km
   Généralement blanc, délicat, d'apparence fibreuse, le cirrus est formé de cristaux de glace. Quand la tempête arrive, c'est souvent le premier signe visible.

2. **Cirrocumulus (haute altitude)**
   Altitude approximative : 6 à 12 km
   Généralement petit et blanc, il couvre une grande surface du ciel. Souvent en rangées ou en bandes, comme des écailles de poisson, les cirrocumulus précèdent habituellement une tempête.

3. **Cirrostratus (haute altitude)**
   Altitude approximative : 6 à 12 km
   Il est généralement mince et un halo apparaît souvent autour du Soleil et de la Lune en sa présence.

4. Altocumulus (moyenne altitude)
Altitude approximative : 2 à 6 km
Variant de blanc à gris très foncé,
souvent en groupe et de forme
bulbeuse (ronde).
Peux aussi créer des bandes dans le ciel.
Les bandes apparaissent parfois avant
l'orage ou la pluie, mais elles n'apportent
pas de mauvais temps pour longtemps.

5. Altostratus (moyenne altitude)
Altitude approximative : 2 à 6 km
Généralement uniforme, plat,
gris pâle ou gris-bleu.
Couvre une large section du ciel.
Peut amener de la pluie ou de
la neige.

6. Stratus (basse altitude)
Altitude approximative : 2 km et moins
Généralement bas et gris.
N'a pas de forme définie.
Couvre le ciel complètement.
On peut discerner le contour du
Soleil à travers le nuage.
Amène du temps maussade.

7. Stratocumulus (basse altitude)
Altitude approximative : 2 km et moins
Ressemble souvent à des rouleaux gris.
Couvre presque tout le ciel.
Se forme pendant la journée.
Un ciel clair apparaît le soir.

8. **Nimbostratus (basse altitude)**
   Altitude approximative : 2 km et moins
   Généralement épais, gris foncé.
   N'a pas de forme particulière.
   Masque complètement le Soleil.
   Annonce souvent la pluie, mais ne
   provoque pas de changements
   rapides du temps.

9. **Cumulus (basse altitude)**
   Altitude variable
   Souvent dense et en pièces détachées.
   Ne couvre pas entièrement le ciel.
   Contour bien délimité.
   A souvent l'aspect d'une boule
   d'ouate. Signe de beau temps.

10. **Cumulonimbus (basse altitude)**
    Altitude variable
    Cumulus dont le développement
    vertical est très marqué.
    Il est plus gros et plus foncé que
    le cumulus et son sommet prend
    souvent la forme d'une enclume.
    Provoque souvent de très fortes
    pluies et des orages.

Savais-tu que cette classification existe depuis environ 200 ans et qu'elle est due à un pharmacien anglais, Luke Howard (1772-1864)?

Réalisation

Ton enseignant ou ton enseignante te remettra une série d'illustrations. Chacune représente un type de nuages.

Nomme-les à partir des schémas de la page 64 et de la description des dix principales catégories de nuages.

Intégration

Compare tes réponses avec celles de tes camarades.

Place les illustrations identifiées des nuages dans ton portfolio.

Tu t'en serviras à la prochaine activité.

Évaluation

Remplis la fiche d'évaluation que ton enseignant ou ton enseignante te remettra.

Réinvestissement

Des peintres célèbres ont créé des tableaux dans lequels on voit des nuages. Consulte des sources de référence sur la peinture (un enseignant ou une enseignante d'arts plastiques, un musée d'art, Internet). Choisis une toile, décris-la et précise le type de nuages qu'on y trouve.

Retour à la tâche

Tu as appris à classifier quelques nuages.

Il te reste maintenant à essayer de mettre tes connaissances en pratique.

Dans l'activité suivante, tu appliqueras tes connaissances à l'identification de nuages réels.

Activité d'apprentissage 3

J'ai la tête dans les nuages!

Préparation

As-tu regardé les nuages aujourd'hui?

Réalisation

Amuse-toi à essayer de reconnaître les nuages. Va dehors ou installe-toi à la fenêtre.

Observation

Identifie les nuages que tu vois à partir des descriptions des pages 65 à 67. Il arrive parfois que l'on observe plusieurs types de nuages en même temps.

Précise, en pourcentage, quelle portion du ciel est couverte de nuages.

Tu peux faire des dessins dans ton journal de bord ou prendre des photos.

Ajoute la date, l'heure, la température et le temps qu'il fait.

Présente tes résultats sous forme de tableau.

Intégration

Est-ce qu'à la même heure, tes amis ont identifié les mêmes nuages que toi?

Évaluation

Comparez vos descriptions.

Savais-tu que parfois on est victime d'illusions d'optique? Par exemple, lorsque tu vois des nuages à l'horizon, ils semblent plus volumineux qu'ils ne le sont en réalité. Ce sont tes yeux et ton cerveau qui te jouent des tours.

Le même phénomène s'applique à la Lune. Elle semble plus grosse lorsqu'elle est à l'horizon.

Retour à la tâche

Tu en connais davantage sur les nuages.

Régulation et évaluation Quelles difficultés as-tu rencontrées à identifier les nuages?

Les intentions de la tâche ont-elles été respectées?

Un océan d'air

Un de tes amis a vu un cycliste
se promener en ville avec un masque blanc.
Ton ami trouve cela exagéré.

L'air est-il si pollué?
Qu'en penses-tu?

Tâche

Tu devras expliquer le rôle de l'atmosphère et l'importance de protéger l'air qui la compose.

Intentions de la tâche

Exercer ton jugement critique.

Mettre à profit les outils, objets et procédés de la science et de la technologie.

Te faire réaliser l'importance de l'air que nous respirons.

Te donner le goût de changer certaines habitudes de vie afin de protéger ton environnement.

Activité d'apprentissage 1

Les couches atmosphériques

On peut subdiviser notre atmosphère en quatre couches : la **troposphère**, la **stratosphère**, la **mésosphère** et la **thermosphère**.

Observe le dessin ci-contre.
Tu y trouveras des informations qui t'aideront à réaliser cette activité.

 Préparation

Quel est le nom de la couche d'air où volent les avions ?
Pourquoi les avions ne volent-ils pas plus haut ?
Est-ce que la température est la même partout dans l'atmosphère ?

Les quatre couches atmosphériques[1]

 Réalisation

Cherche à la bibliothèque ou sur Internet des informations qui te permettront
a) d'identifier les caractéristiques des quatre couches atmosphériques ;
b) de situer divers phénomènes naturels dans la couche où ils ont lieu ;
c) de situer des réalisations technologiques dans la couche où on les utilise.

Ressources matérielles

---

1. Ce dessin n'est pas à l'échelle.
L'épaisseur de l'atmosphère a été grandement exagérée afin de faciliter la compréhension.

Intégration

Modélisation Construisez une murale représentant l'atmosphère. Placez-y les informations recueillies ainsi que des reproductions de réalisations technologiques.

Savais-tu que le mont Everest est le plus haut sommet de la planète? À cette altitude, soit plus de 8 km, l'air est tellement raréfié que les alpinistes doivent recourir à des bonbonnes d'air pour respirer.

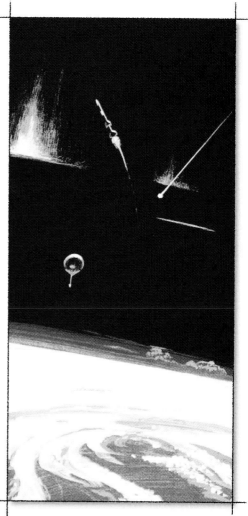

Évaluation

Complète la grille que te remettra ton enseignant ou ton enseignante.

Retour à la tâche

Notre atmosphère contient l'air que nous respirons.

Nous n'en avons pas de rechange.

Voyons comment prendre soin de notre air.

Activité d'apprentissage 2

Je prends soin de mon air!

Préparation

Pourquoi devons-nous nous préoccuper de la qualité de l'air que nous respirons?

Quels secteurs de l'activité humaine polluent le plus l'atmosphère?

Quels gestes pouvons-nous poser pour réduire cette pollution?

Réalisation

Organise une campagne de sensibilisation sur les dangers de la pollution atmosphérique.

Trouve un moyen original d'attirer l'attention des élèves de ton école sur la fragilité de notre atmosphère.

Prépare, à la bibliothèque, une exposition de livres, de revues, de périodiques, etc., traitant de la pollution atmosphérique.

Ressources matérielles

Intégration

Rédige un texte sur la pollution de l'air. Ton texte comprendra des propositions visant à réduire cette pollution. Assure-toi d'éliminer les fautes d'orthographe.

Évaluation

Présente ton texte à ton enseignant ou ton enseignante.

Savais-tu que la température moyenne à la surface de la Terre augmente continuellement à cause de l'effet de serre? Le gaz carbonique (dioxyde de carbone) dégagé par la combustion surabondante de combustibles fossiles bloque la chaleur rayonnée par la surface de la Terre (voir le schéma de la page 6). Celle-ci conserve une plus grande partie de sa chaleur, ce qui provoque un réchauffement planétaire.

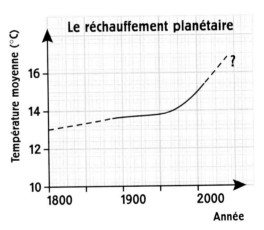

Retour à la tâche

Tu as réalisé l'importance de conserver la pureté de notre air.

Voyons maintenant comment cet air participe aux changements climatiques.

Activité d'apprentissage 3

Les changements climatiques

Bien que la météorologie ait toujours été un sujet privilégié de conversation, ce n'est qu'avec l'invention d'instruments de mesure et avec l'utilisation de l'ordinateur que l'étude de plusieurs changements climatiques est devenue possible.

De nos jours, il n'est pas rare d'entendre parler de changements climatiques et de réchauffement planétaire.

Mais qu'en est-il au juste?

Préparation

Qu'est-ce que tu connais sur les changements climatiques?

Ressources matérielles À l'aide d'Internet, cherche l'information dont tu as besoin.

Dresse une liste des avantages et des inconvénients qu'occasionnerait une augmentation de température à la surface de la Terre.

Prépare les arguments qui te permettront de démontrer les avantages et les inconvénients du réchauffement planétaire anticipé.

Réalisation

Organisez un débat où s'affronteront les élèves qui pensent que le réchauffement planétaire est une bonne chose et ceux qui soutiennent le contraire.

Intégration

Présentement, pour nos régions, le scénario envisagé par les scientifiques est une augmentation graduelle de la température.

Mais que se passerait-il si c'était plutôt le contraire qui se produisait, c'est-à-dire un refroidissement planétaire?

Savais-tu que la Terre a déjà subi plusieurs refroidissements? Lors du dernier refroidissement, il y a environ 10 000 ans, des glaciers de 1 à 2 km d'épaisseur recouvraient nos régions.

Évaluation

D'après toi, le réchauffement planétaire amènera-t-il plus d'avantages que d'inconvénients ou l'inverse?

Précise ta réponse.

Réinvestissement

Divisez la surface de la Terre en autant de parties qu'il y a d'équipes de quatre dans votre groupe. Chaque équipe produira une affiche sur les conditions climatiques de la région qu'elle aura choisie.

Retour à la tâche

Qu'as-tu appris sur l'atmosphère?

Quelle importance accordes-tu à la qualité de l'air?

Démontre, en donnant au moins un exemple dans chaque cas, que tu as développé la compétence transversale *Exercer son jugement critique* et la compétence disciplinaire *Mettre à profit les outils, objets et procédés de la science et de la technologie*.

> Régulation et évaluation

Le temps qu'il fera

As-tu déjà remarqué que la météo fait partie de
nos préoccupations quotidiennes?

Bonjour Madame, il fait beau aujourd'hui!
ou
*Il paraît qu'on annonce une bonne tempête
de neige pour les prochains jours!*

Pourquoi accorde-t-on autant d'importance à la météorologie?

Tâche

Dans cette tâche, tu auras à explorer différents aspects de la météorologie, tant d'un point de vue scientifique que technologique.

Intentions de la tâche

Exploiter les technologies de l'information et de la communication.

Proposer des explications ou des solutions à des problèmes d'ordre scientifique ou technologique.

Raisonner à l'aide de concepts et de processus mathématiques.

Te familiariser avec la météorologie.

Activité d'apprentissage 1

Et si on n'avait pas la technologie...

Est-ce qu'il t'arrive de lire les journaux ou de regarder les bulletins météo à la télévision?

Tous les jours, les journaux sont en mesure de publier un bulletin météorologique donnant les prévisions du temps de la journée et du lendemain.

Prévisions régionales

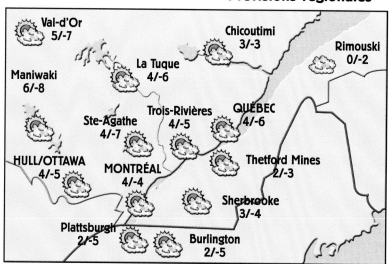

Val-d'Or
5/-7

Chicoutimi
3/-3

Rimouski
0/-2

Maniwaki
6/-8

La Tuque
4/-6

Trois-Rivières
4/-5

QUÉBEC
4/-6

Ste-Agathe
4/-7

HULL/OTTAWA
4/-5

MONTRÉAL
4/-4

Thetford Mines
2/-3

Sherbrooke
3/-4

Plattsburgh
2/-5

Burlington
2/-5

BAIE-COMEAU	BAIE-JAMES	GASPÉ	SEPT-ÎLES
AUJOURD'HUI Plutôt nuageux. 1/-2	**AUJOURD'HUI** Généralement ensoleillé. -2/-15	**AUJOURD'HUI** Nuageux avec percées de soleil. 4/0	**AUJOURD'HUI** Plutôt nuageux. 2/-1
DEMAIN Plutôt nuageux avec averses de pluie ou de neige.	**DEMAIN** Nuageux avec averses de neige. -1/-9	**DEMAIN** Plutôt nuageux avec averses de pluie ou de neige.	**DEMAIN** Averses de pluie ou de neige. 0/-10

Les prévisions météorologiques sont faites grâce
à des appareils sophistiqués et à des modèles mathématiques.
À l'époque de tes grands-parents, quels moyens utilisait-on
pour prévoir le temps?

Préparation

Les nids de guêpes sont hauts cette année : il va y avoir beaucoup de neige !
Les oignons ont plusieurs pelures : l'hiver sera rude !

Voilà autant de signes qui, jadis, à tort ou à raison,
servaient aux gens à prévoir le temps.
Pour la prochaine activité, accepterais-tu de jouer le rôle d'un ou d'une journaliste?

Réalisation

Trouve des signes naturels qui peuvent servir à prédire
le temps qu'il fera.

Demande l'aide de tes parents et de tes grands-parents.

Dresses-en une liste et échange-la avec tes camarades.

Ressources
matérielles

Intégration

Vérifie si ces signes, utilisés jadis, le sont encore aujourd'hui.

Écris un texte sur ce sujet.

Évaluation

Évalue la qualité de ton texte :
– La présentation est-elle satisfaisante ?
– As-tu respecté les règles de syntaxe ?
– As-tu respecté les règles d'orthographe ?

Réinvestissement

Il existe de nombreux dictons sur la prévision du temps.
Peux-tu en énoncer quelques-uns ?
Certains sont probablement typiques de ta région.
Mais, connais-tu des dictons originaires d'autres régions ? d'autres pays ?

Retour à la tâche

À l'époque, certains dictons constituaient un véritable code de conduite étant donné les limites de la science et de la technologie à pouvoir prévoir le temps.

La prochaine activité te permettra de dépasser les croyances populaires à propos du temps.

Tu t'initieras aux symboles utilisés en météorologie.

Activité d'apprentissage 2
La météo au quotidien

Les systèmes météorologiques

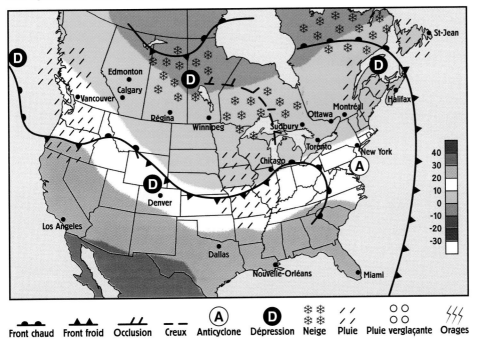

Front chaud	Front froid	Occlusion	Creux	Ⓐ Anticyclone	Ⓓ Dépression	Neige	Pluie	Pluie verglaçante	Orages

Préparation ••

Procure-toi la section météo d'un journal quotidien. Apporte-la en classe. Qu'est-ce que tu y comprends?

Réalisation

Effectue un relevé des termes et des symboles utilisés. Définis les termes et identifie les symboles. Vérifie au cours de la journée si les prévisions s'avèrent exactes.

Réception

Intégration

Compare les données du journal avec celles d'au moins un autre média et ce, pour une même région.

Y a-t-il des ressemblances? Y a-t-il des différences? Pourquoi?

Réinvestissement

À partir d'un bulletin météo, essaie de prévoir le temps qu'il fera demain, dans deux jours, dans une semaine.

Les prévisions à long terme sont-elles aussi fiables que celles à court terme? Pourquoi?

Évaluation

Complète la carte de prévisions régionales que te remettra ton enseignant ou ton enseignante.

Choisis cinq municipalités et dessine à chaque endroit le symbole correspondant au temps qu'il y fera dans trois jours.
Inspire-toi de la carte de la page 82.

Retour à la tâche

Tu es maintenant en mesure de mieux comprendre la complexité des prévisions météorologiques. La prochaine activité te permettra de réaliser toute l'importance de la mathématique dans cette sphère de la science.

Activité d'apprentissage 3

La mathématique et la météo

Les météorologues ont une formation universitaire en sciences de l'atmosphère ou dans un domaine connexe, principalement en physique ou en mathématique, suivie d'une formation reconnue en météorologie.

La mathématique occupe une place importante en météorologie.

Préparation

Selon toi, la quantité de précipitations est-elle la même partout sur la planète ? Varie-t-elle selon les saisons ?

Ressources matérielles

Réalisation

Choisis un pays dont tu établiras le profil des précipitations pour une année. Chaque équipe choisira un pays différent.

Pour l'obtention des données, utilise les ressources mises à ta disposition : Internet, manuels de géographie, encyclopédies, etc.

Note des facteurs qui influencent la quantité de précipitations.

Construis un diagramme à bandes pour les 12 mois de l'année.

Compare ton diagramme avec ceux des autres équipes.

Que constates-tu à propos des précipitations à l'échelle planétaire ?

Savais-tu que, pour prévoir les climats futurs, les chercheurs utilisent des programmes informatiques qui simulent avec des formules mathématiques le fonctionnement du climat ?

Évaluation

Évalue les diagrammes des autres équipes.

Remplis la grille d'évaluation prévue à cet effet.

Réinvestissement

Reprenez la même activité, mais cette fois-ci en élaborant un diagramme pour une autre donnée climatique (l'humidité, la température, l'ensoleillement, etc.).

Savais-tu que le facteur Humidex a été inventé par des météorologues canadiens en 1965 ? Il indique de quelle manière le temps chaud et humide est perçu par la moyenne des gens.

LE FACTEUR HUMIDEX

Valeur de l'humidex	Degré de confort
En-dessous de 29	Peu de gens sont incommodés.
De 30 à 34	Sensation de malaise plus ou moins prononcée.
De 35 à 39	Sensation de malaise assez prononcée. Prudence. Ralentir certaines activités en plein air.
De 40 à 45	Sensation de malaise généralisée. Danger. Éviter les efforts.
De 46 à 53	Danger extrême. Arrêt de travail dans de nombreux domaines.
Au-dessus de 54	Coup de chaleur imminent (danger de mort).

Retour à la tâche

Tu as maintenant une assez bonne connaissance de la météo et de l'importance qu'elle occupe dans ta vie.

En accomplissant les activités qui t'étaient proposées, as-tu été en mesure de proposer des explications ou des solutions à des problèmes d'ordre scientifique ou technologique ?

Régulation et évaluation

À partir d'un exemple concret, démontre que tu as exploité les technologies de l'information et de la communication.

La prochaine tâche te permettra de te familiariser avec certains instruments dont se servent les météorologues.

Ma station météo

As-tu déjà vu une station météo? Si oui, à quel endroit?

Est-ce qu'il y a des stations météorologiques dans ta région?

Un abri Stevenson

Environnement Canada
en possède un certain
nombre; les aéroports et
certaines industries
en ont également.

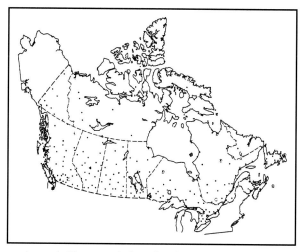

Les stations météorologiques au Canada

Tâche

Tu auras à collaborer à la construction d'une station météo.

Intentions de la tâche

Mettre en oeuvre ta pensée créatrice.

Mettre à profit les outils, objets et procédés de la science et de la technologie.

Te familiariser avec l'appareillage utilisé dans les stations météorologiques.

Activité d'apprentissage 1

Je construis
ma station météo

Une station météo compte une série d'instruments de mesure.

Peux-tu identifier les cinq instruments illustrés ci-après ?

Quelle est la fonction de chacun ?

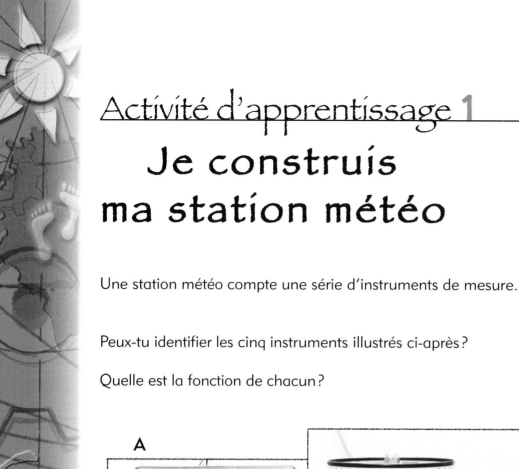

A

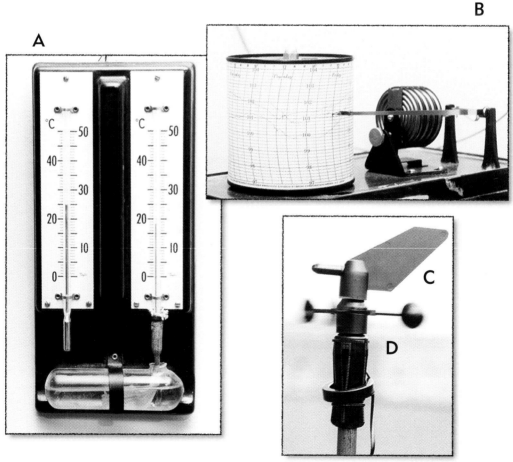

B

C

D

E

Préparation

Tu construiras ta propre station météo.
Ta station comportera :
Un **thermomètre**, pour mesurer la température
Un baromètre, pour mesurer la pression atmosphérique
Un **hygromètre**, pour mesurer le degré d'humidité
Un **anémomètre**, pour mesurer la vitesse du vent
Une **girouette**, pour indiquer la direction du vent
Un **pluviomètre** et un **nivomètre**, pour mesurer la quantité
de précipitations

Dans cette activité, chaque équipe sera responsable d'un
instrument de mesure.

Le thermomètre, le baromètre et l'hygromètre sont des instruments
que l'on se procure en magasin. Par contre, les autres instruments
peuvent être construits à l'aide d'un matériel simple.

Coopération

Consultez des sources de référence sur la construction
d'une station météo.

Procurez-vous le matériel nécessaire.

Réalisation

Expérimentation Construis l'instrument
dont ton équipe a
la responsabilité.

Les équipes qui sont
responsables du thermomètre,
du baromètre et de
l'hygromètre peuvent mettre
leurs ressources en commun
pour construire l'abri qui
contiendra ces instruments.

Présente ta construction à
ton enseignant ou
ton enseignante.

Intégration

Mettez vos instruments en commun et
constituez votre station météo.

Évaluation

Évalue ta contribution au travail de ton équipe.
Utilise la grille d'évaluation prévue à cette fin.

Savais-tu qu'il est possible d'envoyer des stations météo dans les airs? En fait, il s'agit de ballons-sondes, une sorte de petite montgolfière qui transporte des appareils pour prendre des mesures dans l'atmosphère.

Savais-tu que le premier satellite météorologique a été lancé en orbite le 1er avril 1960? Il se nommait TIROS 1.

Savais-tu que les thermomètres à liquide utilisent du mercure, des alcools ou des distillats de pétrole pour fonctionner?

Savais-tu que le record canadien de vitesse du vent est de 201 km/h? Il a été atteint à Quaqtaq dans le Grand Nord québécois.

Savais-tu qu'il existe une échelle descriptive de la vitesse du vent ?
C'est l'**échelle de Beaufort**. Elle est utilisée régulièrement en navigation.

ÉCHELLE DE BEAUFORT

Degré	Dénomination	Vitesse (km/h)	Effets du vent sur l'environnement
0	calme	1 - 5	Aucun vent, la fumée monte verticalement.
1	très légère brise	5 - 10	La fumée est déviée.
2	légère brise	10 - 15	Les feuilles frémissent.
3	petite brise	15 - 20	Les feuilles et les petites branches sont constamment agitées. Les drapeaux flottent.
4	jolie brise	20 - 25	La poussière et les papiers sont soulevés.
5	bonne brise	25 - 35	Les arbrisseaux commencent à s'agiter.
6	vent frais	35 - 45	Les grandes branches sont agitées et les fils électriques sifflent.
7	grand frais	45 - 55	Les arbres sont agités et la marche est difficile contre le vent.
8	coup de vent	55 - 65	Des branches sont cassées et la marche est impossible contre le vent.
9	fort coup de vent	65 - 75	Les tuiles et les cheminées sont arrachées.
10	tempête	75 - 95	Les arbres sont déracinés et les maisons subissent d'importants dommages.
11	violente tempête	95 - 120	Les maisons sont lourdement endommagées, même ravagées.
12 à 17	ouragan	+ 120	Observables seulement sur les océans.

Retour à la tâche

La tâche que tu viens de réaliser t'aura permis de comprendre le fonctionnement de divers instruments de mesure. Tu t'en serviras pour prévoir le temps.

Activité d'apprentissage 2

Je peux prévoir le temps

Préparation

Le grand jour est maintenant arrivé. Il faut que tu expérimentes tes appareils pour vérifier leur fonctionnement et leur fiabilité.

Installe-les dans un endroit propice, loin des obstacles.

Expérimentation

Réalisation

Procède aux ajustements nécessaires avant de commencer à prendre des lectures.

Construis un carnet de météorologue dans lequel tu inscriras tes relevés quotidiens. Utilise la grille que te remettra ton enseignant ou ton enseignante.

Place ton carnet dans ton portfolio.

Intégration

Produisez votre carte de prévisions météo à partir des données du carnet de météorologue.

Pouvez-vous prévoir le temps qu'il fera demain? après-demain?

Évaluation

Comparez vos prévisions avec celles des autres équipes et avec celles des bulletins météo.

Réinvestissement

Construis ta propre station météo à la maison.

Retour à la tâche

Régulation et évaluation

D'après toi, quelle est la difficulté majeure rencontrée par les météorologues dans la prévision du temps?

Nomme au moins une compétence transversale et une compétence disciplinaire en Science et technologie que les météorologues doivent développer dans l'exercice de leur profession.

Réflexions sur le thème 2

Cette étude de l'atmosphère t'a permis d'acquérir de nombreuses connaissances sur la couche d'air qui caractérise la planète Terre.

Cite des connaissances que tes activités t'ont permis d'acquérir.

Choisis une compétence transversale et une compétence disciplinaire visées dans ce thème. Précise, à l'aide d'un exemple, à quel moment tu as développé ces compétences.

Régulation et évaluation

Thème 3

Profession ingénieur, ingénieure

Gardons la chaleur

La chaleur est une forme d'énergie.

La chaleur peut se propager de trois façons :
- par **conduction**, dans un matériau conducteur, par exemple une cuillère de métal ;
- par **convection**, lorsqu'il y a déplacement vers le haut d'un liquide ou d'un gaz chaud ;
- par **rayonnement**, lorsque des rayons de chaleur (**infrarouges**) se propagent, même dans le vide. L'énergie d'une ampoule électrique se transmet par rayonnement.

Observe les illustrations suivantes.

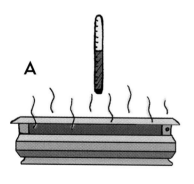
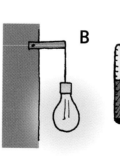

Quel mode de propagation de la chaleur est illustré en A ? En B ? En C ?

Comment le Soleil nous transmet-il sa chaleur ?

Tâche

Tu devras expérimenter un mode de propagation de la chaleur et imaginer des moyens de ralentir cette propagation.

Intentions de la tâche

Te donner des méthodes de travail efficaces.

Proposer des explications ou des solutions à des problèmes d'ordre scientifique ou technologique.

Te familiariser avec le concept de chaleur et avec ses modes de propagation.

Activité d'apprentissage 1
La chaleur en voyage

Préparation

Lors d'une excursion, tu avais laissé une cuillère de métal dans une casserole où tu faisais chauffer de la soupe.

Au moment de brasser la soupe chaude avec la cuillère, tu t'exclames : Aïe ! Ça me brûle !

Comment expliquer la sensation de chaleur ? As-tu une idée ?

On imagine que quelque chose a voyagé de la soupe à la cuillère et de la cuillère à tes doigts.

Cette forme d'énergie qui a été transférée s'appelle chaleur.

Dans ce cas-ci, la chaleur s'est transmise par conduction.

La cuillère t'aurait-elle causé une brûlure si elle avait été fabriquée d'une autre substance que le métal ?

Expérimentation La chaleur se transmet-elle aussi bien dans tous les matériaux ?

D'après toi, quels matériaux seraient susceptibles de mieux transmettre la chaleur ? Explique pourquoi.

Imagine une expérience qui t'aiderait à vérifier ton explication.

Voici un exemple de proposition de solution.

Matériel suggéré
Un contenant
Deux cuillères de matériaux différents
De l'eau chaude

Démarche
1. Verse de l'eau chaude dans le contenant.
2. Introduis les deux cuillères dans le contenant.
3. Après une minute, touche les deux cuillères.

Réalisation

Applique la démarche proposée ou la démarche de ton choix.
D'après toi, quels matériaux seraient susceptibles de
mieux transmettre la chaleur?

Prends soin de conserver des traces de tes résultats.

Intégration

Organisation — Reprends les étapes de ta démarche en remplaçant l'eau chaude par de l'eau glacée.

D'après toi, quel matériau va refroidir le plus rapidement ?

Dans quel sens s'effectue le transfert de chaleur ?

S'est-il fait dans le même sens que lors de l'expérience avec l'eau chaude ?

Quelle conclusion peux-tu tirer de tes expériences ?

Évaluation

Ton explication initiale était-elle correcte ?

La chaleur voyage-t-elle aussi bien dans tous les matériaux ?

Précise ta réponse.

Que veux-tu dire lorsque tu indiques qu'un objet est froid ?

Qu'est-ce que le froid ?

Compare tes réponses à celles de tes camarades.

Réinvestissement

Décris des situations de la vie courante où il y a transfert de chaleur d'un objet à un autre.

Identifie les deux objets en précisant lequel donne la chaleur et lequel la reçoit.

Connais-tu des matériaux qui retardent la transmission de la chaleur?

Comment appelle-t-on ces matériaux?

Donne des exemples.

Retour à la tâche

Tu as réalisé que la propagation de la chaleur par conduction se fait mieux dans certaines substances (les conducteurs) que dans d'autres (les isolants).

Imagine des moyens de retarder la propagation de la chaleur.

Activité d'apprentissage 2
À la soupe, tout le monde!

Préparation

La soupe que tu apportes à l'école refroidit trop rapidement.

(Expérimentation) Ton défi sera de garder ta soupe chaude le plus longtemps possible.

Prends connaissance de la grille d'évaluation que te remettra ton enseignant ou ton enseignante. Tu devras la compléter à la fin de l'activité.

Tu disposes d'une boîte de métal, d'eau chaude, d'un thermomètre et de différents matériaux de recouvrement.

Choisis le matériau qui te semble le meilleur isolant. Explique la raison de ton choix.

Tu utiliseras ce matériau pour construire un thermos.

Réalisation

Dessine les plans de ton thermos.

Indique les étapes de sa fabrication.

Construis ton thermos.

Vérifie son efficacité en y versant une quantité déterminée d'eau chaude et en mesurant la température de l'eau, au début puis après quinze minutes.

Verse une même quantité d'eau chaude dans un verre non isolé et mesure la température de cette eau en même temps que celle de ton thermos.

Celui-ci est-il efficace? Précise ta réponse.

Intégration

Quinze minutes après avoir versé l'eau chaude, as-tu constaté un écart de température?

Note cet écart.

Quelles équipes ont réussi le mieux à maintenir la température de l'eau?

Quels matériaux avaient-elles choisis?

Évaluation

Remplis la grille d'évaluation prévue pour cette activité.

Réinvestissement

Comment t'habilles-tu en hiver pour combattre le froid?

Quel est le rôle d'un isolant?

Nomme des objets qui comportent des matériaux isolants.

Pourquoi isole-t-on nos maisons? Est-ce pour empêcher le froid d'entrer ou pour empêcher la chaleur de sortir?

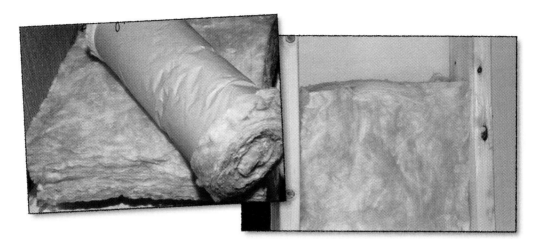

Savais-tu que l'astronome et physicien Anders Celsius créa en 1742 l'échelle centésimale de température, à laquelle son nom fut donné? De quel pays était-il originaire?

Retour à la tâche

Cette tâche devait favoriser le développement de la compétence transversale *Se donner des méthodes de travail efficaces*.

Régulation et évaluation Montre que tu as développé cette compétence en indiquant les points forts de ta démarche.

Cette tâche avait pour but de développer la première compétence disciplinaire en Science et technologie : *Proposer des explications ou des solutions à des problèmes d'ordre scientifique ou technologique*.

As-tu développé cette compétence en accomplissant les activités qui t'étaient proposées? Donne au moins un exemple.

Vers le bas

Si tu échappes un objet, il tombe vers le sol.

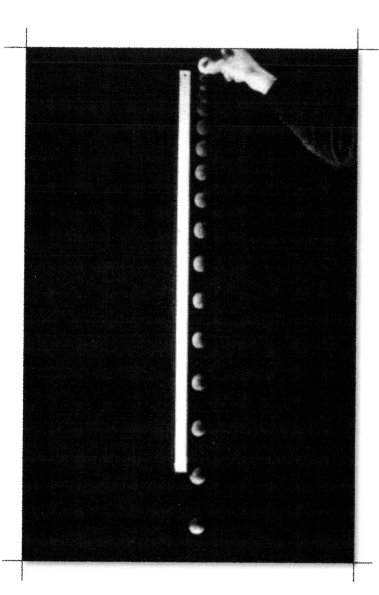

Cette photo, prise avec un éclairage stroboscopique (à éclairs multiples), montre que la vitesse d'un objet augmente pendant sa chute.

Tâche

Tu décriras la chute des objets. Tu trouveras un moyen de ralentir cette chute.

Intentions de la tâche

Coopérer.

Proposer des explications ou des solutions à des problèmes d'ordre scientifique ou technologique.

Te familiariser avec les facteurs qui influencent la chute des objets.

Activité d'apprentissage 1
Qui sera le premier?

 Préparation

Pourquoi un objet tombe-t-il?
Compare ta réponse à celles des autres membres de ton équipe.
Essaie de les convaincre.

Les objets tombent-ils tous à la même vitesse?
Qu'en penses-tu? Écris tes prévisions.
Pour vérifier, il suffit d'expérimenter.

Matériel suggéré
Une gomme à effacer
Une feuille de papier
Un caillou
Deux boules de pâte à modeler de la même grosseur
Tout autre objet de ton choix

Organise-toi avec les membres de ton équipe pour laisser
tomber deux objets à la fois, en même temps et à partir
d'une même hauteur.

Tu peux donner à l'une des boules de pâte à modeler
la forme que tu veux.

Expérimentation

Coopération

Réalisation

Laisse tomber les objets deux à deux.

Note tes observations.

D'après toi, que va-t-il se passer? Fais des prévisions.

Intégration

Les deux objets de chacune des expérimentations touchent-ils le plancher en même temps?

A-t-il été nécessaire de répéter plusieurs fois chacune des expériences pour s'assurer du résultat ? Précise ta réponse.

La *masse* des objets influence-t-elle la vitesse de chute ?

La *forme* des objets influence-t-elle la vitesse de chute ? Pourquoi ?

Compare tes réponses à celles des autres équipes.

Évaluation

Les objets tombent-ils tous à la même vitesse ?

Tes prévisions étaient-elles exactes ?

Qu'est-ce qui influence la vitesse de chute d'objets qui tombent d'une hauteur donnée ?

Savais-tu que sur la Lune tous les objets tombent à la même vitesse ?

Peux-tu expliquer pourquoi ?

Retour à la tâche

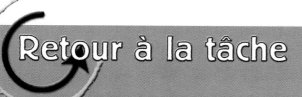

Maintenant que tu as analysé la chute des objets, imagine des moyens de ralentir cette chute.

Activité d'apprentissage 2
Qui sera le dernier?

Depuis des siècles, l'humain rêve de voler ou à tout le moins, de pouvoir ralentir sa chute dans l'air.

Depuis l'invention de l'avion, le besoin de ralentir une chute éventuelle a donné naissance à une technologie de plus en plus efficace.

Préparation

Que sais-tu sur les parachutes?

À quoi sert un parachute?

 Échange tes connaissances avec tes camarades.

Réalisation

Construis un petit parachute.

Avant de procéder, dessine le plan de ton parachute.

Écris toutes tes démarches dans ton journal de bord.

Ensuite, suspends un objet léger à ton parachute. Observe son mouvement lors de sa chute.

Organise un concours dans la classe pour connaître lequel des parachutes sera le plus lent, donc le plus efficace.

Intégration

Qui a inventé le parachute? Effectue une recherche sur l'histoire du parachute.

Connais-tu un animal et une plante qui utilisent le principe du parachute?

Qu'as-tu appris en accomplissant cette activité? Quelles difficultés as-tu rencontrées?

Évaluation

Croquis d'un parachute par Léonard de Vinci (1452-1519)

Remplis la grille que te remettra ton enseignant ou ton enseignante.

Réinvestissement

Consulte la documentation disponible sur les récents développements en matière de parachutes.

Un parachute serait-il efficace sur la Lune? Pourquoi?

Retour à la tâche

Quelle compétence transversale as-tu développée dans cette tâche?
Cite au moins un cas où tu as développé cette compétence.
Quelle compétence disciplinaire as-tu développée?
As-tu activé toutes les composantes de la compétence?
Précise à quel moment tu as activé ces composantes.
Les stratégies que tu as utilisées ont-elles été efficaces? Sinon, pourquoi?
Mets à jour ton journal de bord.

Ressources matérielles

Régulation et évaluation

Entre deux rives

On veut construire une route pour relier deux villes par le plus court chemin.

La route enjambe une rivière.

On doit donc construire un pont.

Le cabinet d'ingénieurs dont tu fais partie propose la maquette d'un pont.

Tâche

Tu devras construire la maquette d'un pont avec les matériaux disponibles et selon les spécifications imposées.

Intentions de la tâche

Résoudre des problèmes.

Proposer des explications ou des solutions à des problèmes d'ordre scientifique ou technologique.

Appliquer les principes de l'**équilibre** à la construction d'un pont.

119

Activité d'apprentissage 1

Pousse, mais pousse égal!

Un système au repos est un système en équilibre.

Toute construction doit demeurer en état d'équilibre, sinon elle va s'écrouler.

Un corps est en équilibre si toutes les forces qui lui sont appliquées s'annulent.

Par exemple, le câble de l'illustration suivante demeure en équilibre si les opposants exercent des forces de même grandeur.

Le système ci-contre est en équilibre si les deux opposants poussent également.

120

Lorsque tu pousses sur un mur, le mur pousse sur toi avec une force de même grandeur puisque rien ne bouge.

Si tu arrivais à pousser plus fort que la résistance maximale du mur, tu causerais un déséquilibre.

Préparation

Ton défi sera de tracer les plans d'un pont selon les spécifications proposées par ton enseignant ou ton enseignante.

Au préalable, voyons ce qui se passe lorsque tu déposes un objet lourd sur une planche qui peut tout juste le supporter.

Modélisation

Le système illustré ici est-il en équilibre?

Pourquoi?

Identifie les forces exercées sur le point P.

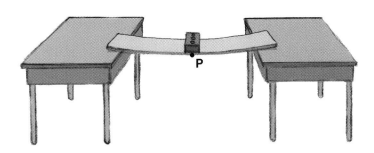

121

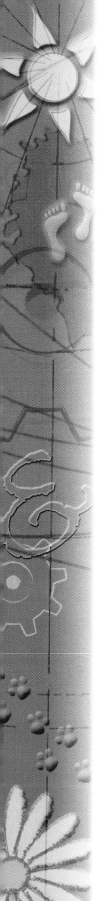

Tant et aussi longtemps que la planche résistera, le système demeurera en équilibre.

Si l'on veut augmenter la charge (force vers le bas) sans briser la planche, il faudra augmenter la force vers le haut.
Mais comment faire sans changer la planche ?

Comment pourrais-tu augmenter la capacité de support d'un système donné ?

Ton défi sera de tracer les plans d'un pont qui sera construit avec le minimum de matériaux.

À l'activité d'apprentissage 2, tu construiras une maquette selon tes plans. Par la suite, tu testeras la solidité de ta maquette.

Le **tablier** du pont sera constitué d'un morceau de carton de 60 cm × 10 cm, soutenu par deux chaises distantes de 50 cm.

espace libre

Le type de structure de renforcement est laissé à l'initiative de chaque équipe. Le choix des matériaux se fera à partir de ceux fournis par ton enseignant ou ton enseignante.

Le pont devra être amovible.

La solidité de la maquette sera testée en déposant une charge sur le tablier ou en la suspendant sous le tablier.

Réalisation

Dessine tes plans à l'échelle.

Intégration

Pourquoi ton équipe a-t-elle choisi ce type de structure? Donne les principales raisons de ce choix.

Évaluation

Fais approuver tes plans par ton enseignant ou ton enseignante.

S'il y a lieu, apporte les modifications suggérées.

Retour à la tâche

Tu as dessiné les plans de ton pont.

Il s'agira maintenant de construire ta maquette.

Activité d'apprentissage 2
Ça passe ou ça casse!

Modélisation

Préparation

Vérifie tes plans une dernière fois.

Prépare les composantes de ta maquette, selon tes plans.

Réalisation

Construis ta maquette.

Intégration

Vérifie la solidité de ta maquette.

Organisez un concours.
Quel est le pont le
plus résistant?

Évaluation

Choisissez en groupe les objets que chaque équipe devra déposer sur le tablier ou suspendre sous le tablier et qui détermineront la charge maximale que chaque pont peut supporter.

Procédez aux tests.

Expérimentation

125

L'équipe dont le pont aura réussi à supporter la charge la plus lourde sans s'effondrer sera déclarée vainqueur du concours.

Cette équipe présentera ses plans et sa maquette à la classe et expliquera les raisons de ses choix.

Réinvestissement

Peux-tu améliorer la solidité de ton pont en modifiant sa structure?

Modifie ton plan en conséquence.

Construis une nouvelle maquette et procède à de nouveaux essais.

Savais-tu que le pont suspendu Akashi-Kaikyo au Japon détient le record de longueur entre ses deux pylônes? Elle est de 1 990 m.

Retour à la tâche

Régulation et évaluation

Qu'as-tu appris en accomplissant cette tâche?

Quelle compétence crois-tu avoir le plus développée?

Réflexions sur le thème 3

Ce thème mettait l'accent sur l'application de connaissances scientifiques à la création d'objets technologiques. Ces connaissances touchaient la chaleur, l'attraction terrestre et les conditions d'équilibre.

Les constructions d'un thermos, d'un parachute et d'un pont faisaient appel à la compétence disciplinaire *Proposer des explications ou des solutions à des problèmes d'ordre scientifique ou technologique.*

Régulation et évaluation

Les compétences transversales *Se donner des méthodes de travail efficaces*, *Coopérer* et *Résoudre des problèmes* étaient aussi développées.

Montre que tu as développé la compétence disciplinaire et les compétences transversales visées en donnant un exemple dans chaque cas.

Annexes

Grandeurs physiques, unités et symboles

Grandeur	Symbole	Unité(s)	Symbole(s)
Temps	t	seconde minute heure	s min h
Distance	d	mètre kilomètre	m km
Longueur	l	mètre centimètre millimètre	m cm mm
Volume	V	mètre cube centimètre cube litre centilitre millilitre	m^3 cm^3 l cl ml
Vitesse	v	mètre par seconde kilomètre par heure	m/s km/h
Masse	m	kilogramme gramme	kg g
Densité	d^1	–	–
Fréquence de rotation	f	tour par minute	tr/min
Force	F	newton	N
Énergie	E	joule	J

1. La densité n'a pas d'unité puisque c'est un rapport, une comparaison entre deux valeurs.

Le règne animal

Clé de classification partielle et simplifiée du règne animal

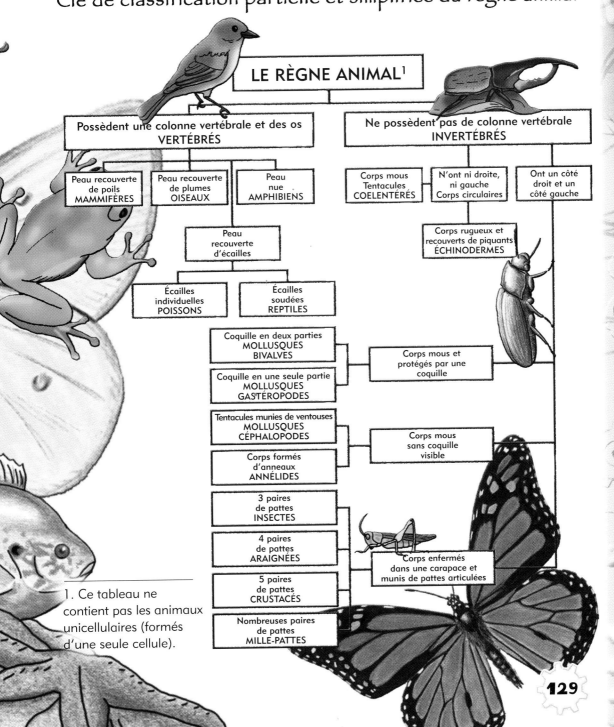

LE RÈGNE ANIMAL[1]

Possèdent une colonne vertébrale et des os
VERTÉBRÉS

Ne possèdent pas de colonne vertébrale
INVERTÉBRÉS

Peau recouverte de poils
MAMMIFÈRES

Peau recouverte de plumes
OISEAUX

Peau nue
AMPHIBIENS

Corps mous Tentacules
COELENTÉRÉS

N'ont ni droite, ni gauche
Corps circulaires

Ont un côté droit et un côté gauche

Peau recouverte d'écailles

Corps rugueux et recouverts de piquants
ÉCHINODERMES

Écailles individuelles
POISSONS

Écailles soudées
REPTILES

Coquille en deux parties
MOLLUSQUES BIVALVES

Coquille en une seule partie
MOLLUSQUES GASTÉROPODES

Corps mous et protégés par une coquille

Tentacules munies de ventouses
MOLLUSQUES CÉPHALOPODES

Corps formés d'anneaux
ANNÉLIDES

Corps mous sans coquille visible

3 paires de pattes
INSECTES

4 paires de pattes
ARAIGNÉES

Corps enfermés dans une carapace et munis de pattes articulées

5 paires de pattes
CRUSTACÉS

Nombreuses paires de pattes
MILLE-PATTES

1. Ce tableau ne contient pas les animaux unicellulaires (formés d'une seule cellule).

Le règne végétal

Clé de classification partielle et simplifiée du règne végétal

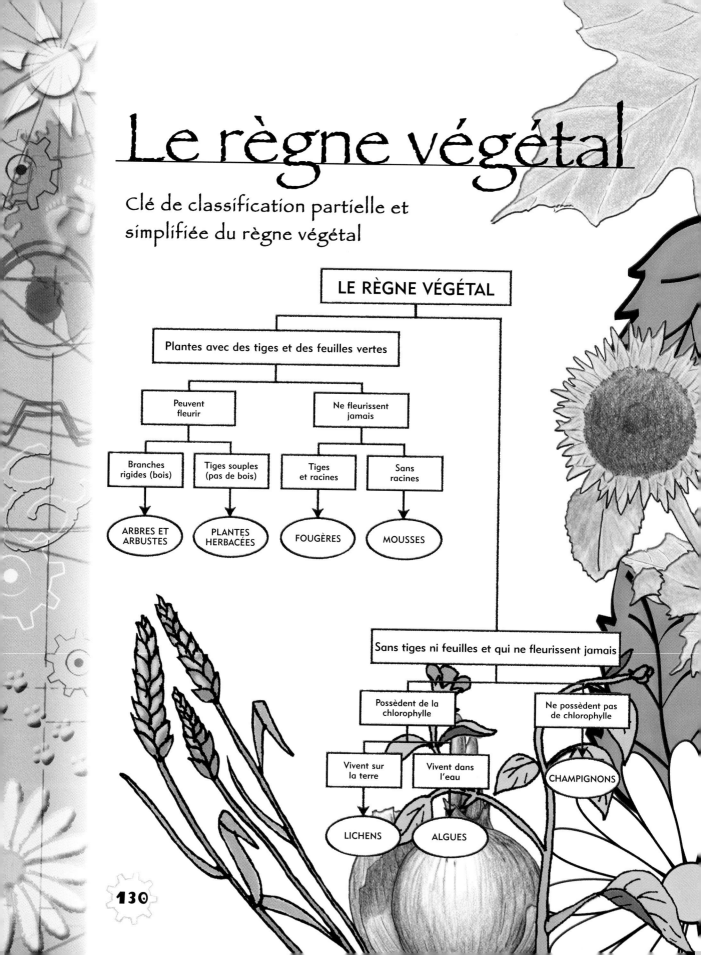

LE RÈGNE VÉGÉTAL

Plantes avec des tiges et des feuilles vertes

- Peuvent fleurir
  - Branches rigides (bois) → **ARBRES ET ARBUSTES**
  - Tiges souples (pas de bois) → **PLANTES HERBACÉES**
- Ne fleurissent jamais
  - Tiges et racines → **FOUGÈRES**
  - Sans racines → **MOUSSES**

Sans tiges ni feuilles et qui ne fleurissent jamais

- Possèdent de la chlorophylle
  - Vivent sur la terre → **LICHENS**
  - Vivent dans l'eau → **ALGUES**
- Ne possèdent pas de chlorophylle → **CHAMPIGNONS**

Identification des roches

Roches ignées

Texture	Description	Noms des roches
à grains grossiers (1 mm et plus) en désordre, pas de ciment	cristaux visibles à l'oeil nu	granite syénite gabbro
à grains fins	cristaux visibles au microscope	basalte
vitreuse	pas de cristaux, contient souvent des vacuoles	obsidienne pierre ponce
à grains variés dans une pâte très fine	cristaux très gros et d'autres microscopiques	les porphyres (la rhyolite et l'andésite sont souvent des porphyres)

Le type de texture dépend des conditions de solidification des magmas et plus particulièrement de la vitesse de refroidissement.

Roches sédimentaires

Texture	Description	Noms des roches
1. d'origine détritique (composées de fragments de roches liés par un ciment)		
à grains grossiers de tailles variables	arrondis anguleux	conglomérat brèche

Roches sédimentaires (suite)

Texture	Description	Noms des roches
à grains fins	grains de sable	grès
à grains très fins	particules non visibles à l'oeil ou à la loupe	shale
2. d'origine chimique* (composées de cristaux)		
à grains de tailles très variables	réagissent au HCl (effervescence)	calcaire dolomie
3. d'origine biochimique* (formées de fragments de fossiles et de cristaux)		
à grains de tailles très variables	réagissent au HCl (effervescence)	calcaire

* Ces roches contiennent des quantités variables d'impuretés (argile…)
qui font varier leur couleur.

Roches métamorphiques

Texture	Description	Noms des roches
à grains grossiers	cristaux visibles dans une structure litée ou rubanée	gneiss
à grains très fins	cristaux microscopiques ou très petits dans une structure en feuillets parallèles	ardoise schiste
à grains de tailles variables	sans structure nette	marbre quartzite

Les roches métamorphiques sont d'anciennes roches sédimentaires ou ignées ayant subi des modifications par des variations de température et de pression. Il y a une recristallisation et un réarrangement (alignement) des cristaux.

Des roches

Un granite

Un basalte

Une obsidienne

Un conglomérat

Un grès

Un calcaire

Un schiste

Un gneiss

Un marbre

133

Stratégies d'apprentissage

Activation

Je me rappelle ce que je sais.
Je me rappelle comment je réalise
ce type de tâche.

Classification

J'identifie des caractéristiques communes.
Je propose des catégories.
Je prends connaissance des
catégories existantes.
J'organise selon les catégories.

Coopération

Je suis tolérant ou tolérante envers les autres.
Je collabore à établir des règles de fonctionnement.
Je demande de l'aide à un équipier
ou une équipière.
J'aide un équipier ou une équipière qui
a de la difficulté.
Je collabore à planifier le travail en équipe.
J'accepte mon rôle.
J'écoute le point de vue des autres.
Je reconnais le travail des autres.

Expérimentation

J'identifie une problématique.
J'énonce une proposition de solution.
Je planifie mon expérience.
Je rassemble le matériel.
Je réalise l'expérience.
Je note mes résultats.
J'évalue mes résultats.

Modélisation

J'identifie ce que je pense être essentiel.
J'imagine une façon plus simple de
le représenter.
Je construis mon modèle (dessin, plan,
maquette).
Je vérifie mon modèle.

Motivation

J'identifie les raisons pour agir.
J'évalue mes chances de succès.
J'agis.
Je fournis un effort.
Je persiste jusqu'à la fin.
Je réalise que cela me sera utile.

Observation

Je regarde avec attention.
Je me sers de mes sens pour identifier
des caractéristiques.
J'identifie celles qui se rapportent à
la problématique.

Organisation

Je me fais un plan.
Je fais des liens entre les mots-clés.
J'ordonne mes idées.
Je divise l'information en morceaux.
Je replace mes idées dans ma mémoire.

Réception

J'accepte de recevoir de l'information sur un sujet donné.
J'accepte de m'impliquer même si je ne sais pas encore exactement comment le faire.
J'adopte une attitude positive.

Régulation et évaluation

J'identifie les stratégies que j'ai utilisées.
J'identifie les compétences que j'ai developpées.
J'explique une démarche.
Je juge si j'ai bien ou mal travaillé.
Je me demande: ce que j'ai appris,
                comment je l'ai appris,
(objectivation) ce que j'ai trouvé facile,
                ce que j'ai trouvé difficile,
                ce que j'ai aimé,
                ce que je n'ai pas aimé.
Je me demande: ce que j'ai réussi,
                ce que je n'ai pas réussi,
(autoévaluation) quelles erreurs je dois corriger,
                ce que je dois faire pour
                corriger mes erreurs.

Ressources matérielles

Je procède à une collecte d'informations.
Je m'assure d'avoir tous les documents et tous les outils dont j'ai besoin.
Je les identifie.

Glossaire

Aire de distribution
Région plus ou moins étendue occupée par certains êtres.

Amphibien
Classe de vertébrés à stade larvaire aquatique, à la peau nue et à température variable. Les grenouilles sont des amphibiens.

Anémomètre
Appareil servant à mesurer la vitesse du vent.

Atmosphère
Couche de gaz qui entoure une planète.

Baromètre
Appareil servant à mesurer la pression atmosphérique.

Baromètre anéroïde
Baromètre qui utilise la déformation d'une boîte métallique dans laquelle on a fait un vide partiel.

Biosphère
Partie de la sphère terrestre où se manifeste la vie. Ensemble des organismes vivants de notre planète.

Caractéristique morphologique
Élément distinctif de forme et de structure. Une caractéristique morphologique de la girafe est la longueur de son cou.

Carnivore
Qui se nourrit de chair.

Chaîne alimentaire
Suite d'êtres vivants dans laquelle certains mangent ceux du chaînon précédent avant d'être mangés à leur tour par ceux du chaînon suivant.

Chaleur
Transmission d'énergie qui se manifeste par une variation de la température.

Chlorophylle
Pigment vert des végétaux, présent dans les chloroplastes et dont le rôle est essentiel dans la photosynthèse.

Chloroplaste
Partie de la cellule végétale contenant la chlorophylle et dans laquelle s'effectue la photosynthèse.

Classe
Chacune des divisions d'un embranchement. La classe est subdivisée en ordres.

Conduction
Mode de propagation de la chaleur dans un solide.

Convection
Mode de propagation de la chaleur dans un fluide par déplacement de ce fluide.

Échelle de Beaufort
Tableau d'évaluation de la vitesse du vent par l'observation de ses effets sur l'environnement.

Écosystème
Réseau d'interactions entre les organismes vivants d'une région et leur environnement.

Embranchement
Principale division du règne animal ou du règne végétal. L'embranchement est subdivisé en classes.

Règne
Embranchement
Classe
Ordre

Embryon
Organisme en voie de développement, dans les premiers temps suivant la fécondation.

Énergie
Ce qui permet à un système de fonctionner. Capacité d'effectuer un travail.

Équilibre
État d'un système sur lequel les forces appliquées s'annulent mutuellement.

Étamine
Organe mâle d'une plante à fleurs.

Exosquelette
Formation squelettique externe de certains animaux (coquille des mollusques, carapace des crustacés, des insectes, etc.).

Force
Toute cause capable de déformer un objet ou de le déplacer. Symbole: *F*; unité, le newton (N).

Girouette
Appareil servant à déterminer la direction du vent.

Groupe témoin
Dans une expérience, élément qui sert de repère, de point de comparaison.

Habitat
Milieu où vit un organisme particulier.

Herbivore
Qui se nourrit de plantes.

Hygromètre
Appareil servant à mesurer le taux d'humidité relative.

Imploser
Action d'un objet qui s'écrase brusquement sur lui-même.

Infrarouge
Radiation invisible et dont l'intensité dépend de la température.

Invertébré
Animal dépourvu de colonne vertébrale.

Joule
Unité de travail et d'énergie. Symbole: J.

Kilopascal
Pression valant 1 000 pascals.

Magma
Masse minérale pâteuse située en profondeur et où s'opère la fusion des roches.

Maillon
Anneau d'une chaîne. Élément d'une chaîne alimentaire.

Mésosphère
Couche atmosphérique située au-dessus de la stratosphère et caractérisée par une diminution de la température avec l'altitude.

Métabolisme
Ensemble des transformations de matière et d'énergie qui se produisent dans les cellules d'un organisme vivant.

Métamorphose
Transformation, changement brusque de forme.

Minerai
Substance minérale en quantité suffisante pour justifier l'exploitation.

Minéral
Substance inerte ayant une composition chimique définie et une structure qui se répète régulièrement. Les roches sont formées de minéraux.

Morphologie
Aspect général (forme et structure) d'un être vivant.

Niveau trophique
Position qu'occupe une espèce dans une chaîne alimentaire. Les trois principaux niveaux trophiques sont ceux des producteurs, des consommateurs et des décomposeurs.

Nivomètre
Instrument servant à mesurer les hauteurs des précipitations neigeuses.

Ovipare
Qui se reproduit par des oeufs.

Ovovivipare
Qui se reproduit par des oeufs mais qui les conserve dans ses voies génitales jusqu'à éclosion.

Parasite
Organisme qui vit sur ou dans un autre organisme et dépend de celui-ci pour sa nourriture.

Photopériode
Alternance entre une période de lumière et une période d'obscurité. Durée relative de ces périodes.

Photosynthèse
Processus par lequel les végétaux possédant de la chlorophylle produisent du sucre et de l'oxygène à partir de dioxyde de carbone, d'eau et de sels minéraux, grâce à l'énergie solaire.

Phototropisme
Orientation de croissance en fonction de la provenance de la lumière.

Pistil
Organe femelle d'une plante à fleurs.

Pluviomètre
Appareil servant à mesurer (en millimètres) la quantité de pluie tombée au sol.

Portée
Distance horizontale parcourue par un projectile… ou un jet d'eau.

Pression
Force exercée sur une surface. La grandeur de la pression est le quotient de la force exercée par l'aire de la surface pressée.

Pression atmosphérique
Pression exercée par le poids de l'air atmosphérique.

Pression hydrostatique
Pression exercée par le poids d'un liquide sur un objet immergé.

Pyramide alimentaire
Représentation graphique des niveaux trophiques d'une chaîne alimentaire. Le nombre d'individus ou la masse diminue à mesure qu'on s'élève dans la pyramide.

Rayonnement
Mode de propagation de la chaleur par émission de radiations.

Respiration
En l'absence de lumière, action de l'oxygène sur le sucre stocké dans les cellules végétales et production d'énergie, de vapeur d'eau et de dioxyde de carbone.

Ressources minérales
Tout ce qui provient du sous-sol et qui est exploité par l'être humain.

Roche
Assemblage de minéraux. Les roches forment la croûte terrestre.

Roche ignée
Roche provenant de la solidification d'un magma.

Roche métamorphique
Roche ayant subi des transformations sous l'action de la chaleur et de la pression.

Roche sédimentaire
Roche formée par le dépôt de sédiments dans l'eau ou sur le sol.

Science
Ensemble des connaissances propres à un domaine particulier.

Siphon
Tube en forme d'U renversé servant à transvaser des liquides.

Stade larvaire
Premier stade de la métamorphose chez certains animaux.

Stratosphère
Couche atmosphérique située juste au-dessus de la troposphère et s'étendant de 10 km à 50 km d'altitude.

Tablier
Plate-forme constituant le plancher d'un pont.

Technologie
Ensemble des savoirs et des activités permettant de concevoir et de réaliser des objets.

Thermomètre
Appareil servant à mesurer la température.

Thermosphère
Couche la plus élevée de l'atmosphère et caractérisée par une élévation de la température avec l'altitude.

Topographie
Description et représentation graphique d'un lieu.

Troposphère
Couche atmosphérique la plus rapprochée du sol, d'une épaisseur de 10 km et contenant 90 % de l'air atmosphérique.

Vertébré
Animal qui possède une colonne vertébrale.

Vivipare
Animal dont les petits se développent à l'intérieur de l'organisme maternel.

Index

141

Crédits photographiques

Thème 1

Page III, p. IV, R. Bouchard, p. V, p. VI, C. Gagné, p. XV, G. Samson, p. 19, G. Belley, p. 23, p. 25, p. 28, R. Lupien, p. 32, R. Bouchard, p. 34, NASA, p. 36, R. Lupien, p. 37, G. Picard, p. 38, C. Gagné, p. 39, G. Prichonnet, p. 40 haut, ministère des Ressources naturelles du Québec (MRNQ), p. 40 bas, C. Gagné, p. 41, MRNQ, p. 43, G. Picard, p. 47 haut, R. Bouchard, p. 47 bas, l'Hebdo du Saint-Maurice, p. 48, Hydro-Québec, p. 51, R. Bouchard, p. 52, NASA, p. 57, C. Gagné.

Thème 2

Page 62, p. 64, p. 69, R. Bouchard, p. 65, p. 66, p. 67, Environnement Canada, p. 75, R. Lupien, p. 80, C. Gagné, p. 90 gauche, R. Bouchard, p. 90 droite, J.-G. Cantin, p. 92, p. 93, p. 97, R. Lupien, p. 95, Environnement Canada, p. 99, NASA.

Thème 3

Page 102, p. 104, R. Bouchard, p. 106, C. Gagné, p. 107, R. Bouchard, p. 109, G. Picard, p. 110, C. Villemur, p. 111, J. Labadie et B. Chapleau, p. 115, G. Picard, p. 116, J. Strouvens, p. 120, R. Lupien, p. 125, G. Picard, p. 127, R. Bouchard, p. 133, G. Prichonnet et R. Bouchard.